Cymru a Chymreictod

Meinir Ebbsworth

Cyhoeddwyd dan nawdd Cynllun Adnoddau Addysgu a Dysgu CBAC

Cyhoeddwyd gan Y Ganolfan Astudiaethau Addysg, Aberystwyth
(www.caa.aber.ac.uk).

Noddwyd gan Lywodraeth Cynulliad Cymru.
Cyhoeddwyd dan nawdd Cynllun Adnoddau Addysgu a Dysgu CBAC.
ISBN 978-1-84521-263-6

Golygwyd gan Delyth Ifan
Dyluniwyd gan Dylunio GraffEG
Argraffwyd gan Y Lolfa

Diolch i'r canlynol am ganiatâd i atgynhyrchu testun a delweddau:

Aled Hughes
Alys Meirion
Annes Glynn
Cadw
Ceris Gruffudd
Cymdeithas yr Iaith
Dylan Iorwerth
Golwg Cyf.
Gwasg Carreg Gwalch
Gwasg Dwyfor
Gwasg Gee (Cyhoeddwyr) Cyf.
Gwasg Gomer
Gwasg Gwynedd
Gwasg Prifysgol Cymru
Gwyneth Glyn
Gwynn ap Gwilym
Llyfrgell Genedlaethol Cymru
Manon Eames
Mererid Hopwood
Photolibrary Wales (t. 6, t. 20, t.45, t.48)
Ruth Jên Evans
Sain
Steve Lewis ARPS www.landscapesofwales.co.uk
S4C
Urdd Gobaith Cymru
Y Lolfa
Yr Academi

Gwnaethpwyd pob ymdrech i olrhain a chydnabod deiliaid hawlfraint. Bydd y cyhoeddwyr yn falch o wneud trefniadau addas gydag unrhyw ddeiliaid na lwyddwyd i gysylltu â nhw.

Diolch hefyd i Marged Cartwright, Sara Davies, Meinir Jones
a Huw Richards am eu harweiniad gwerthfawr.

Noder bod y cyhoeddiad hwn yn atgynhyrchu taflenni a gwybodaeth o amrywiol ffynonellau. Gall hyn arwain at fân amrywiadau o ran sillafu a chywair.

TASGAU

Ysgrifenedig

Trafod

Darllen

Geirfa

"Mae'r wlad hon yn eiddo i ti a mi . . ."

CYMRU

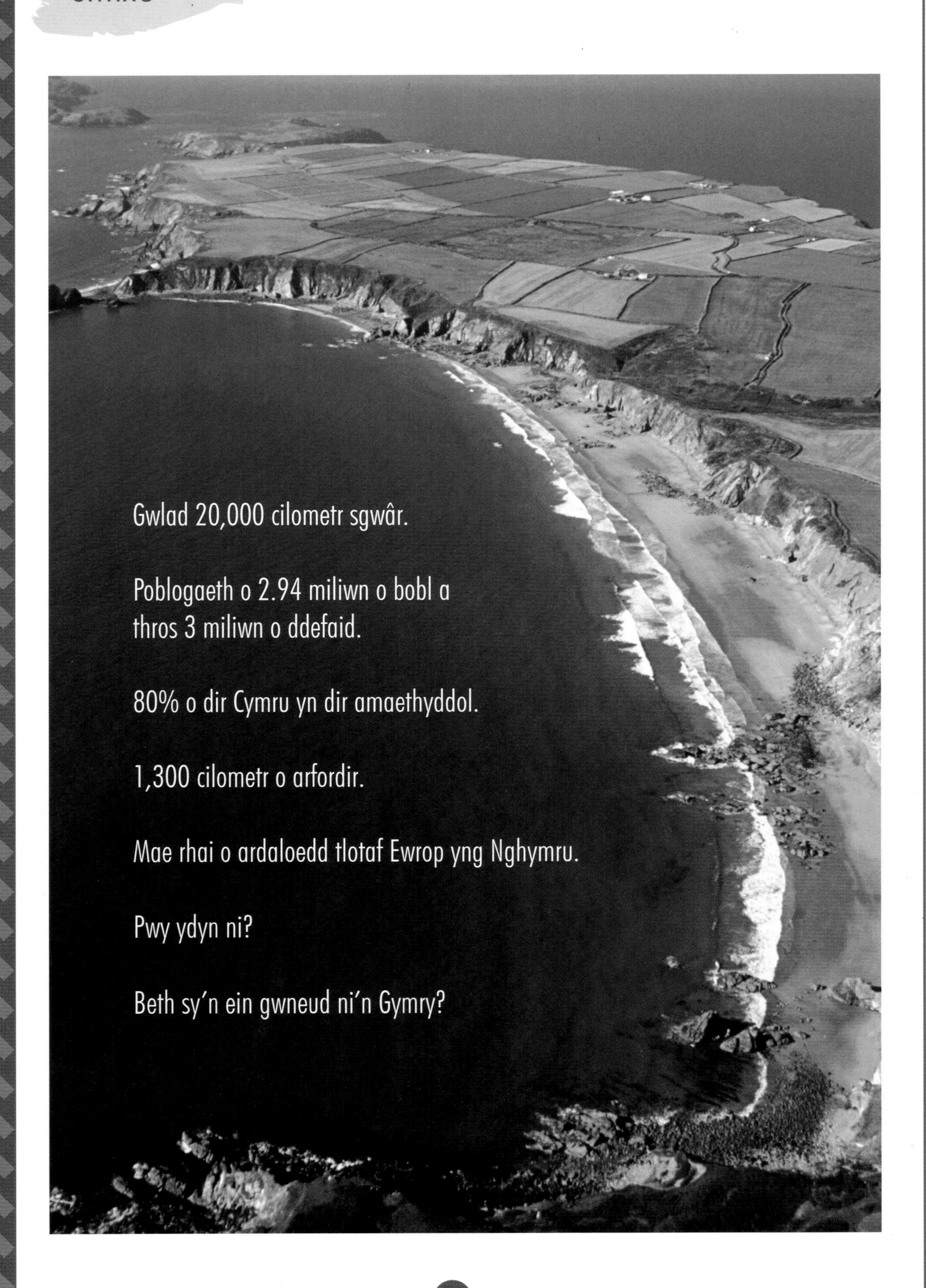
Gwlad 20,000 cilometr sgwâr.
Poblogaeth o 2.94 miliwn o bobl a thros 3 miliwn o ddefaid.
80% o dir Cymru yn dir amaethyddol.
1,300 cilometr o arfordir.
Mae rhai o ardaloedd tlotaf Ewrop yng Nghymru.
Pwy ydyn ni?
Beth sy'n ein gwneud ni'n Gymry?

Dyma fap yn dangos enwau llefydd yng Nghymru. Mae nifer o'r enwau yn dechrau â 'llan' (e.e. Llanelwy) neu 'aber' (e.e. Abercynon).

Beth fyddech chi'n disgwyl ei weld mewn pentref sy'n dechrau â 'llan'?
Sawl 'llan' ac 'aber' welwch chi ar y map?

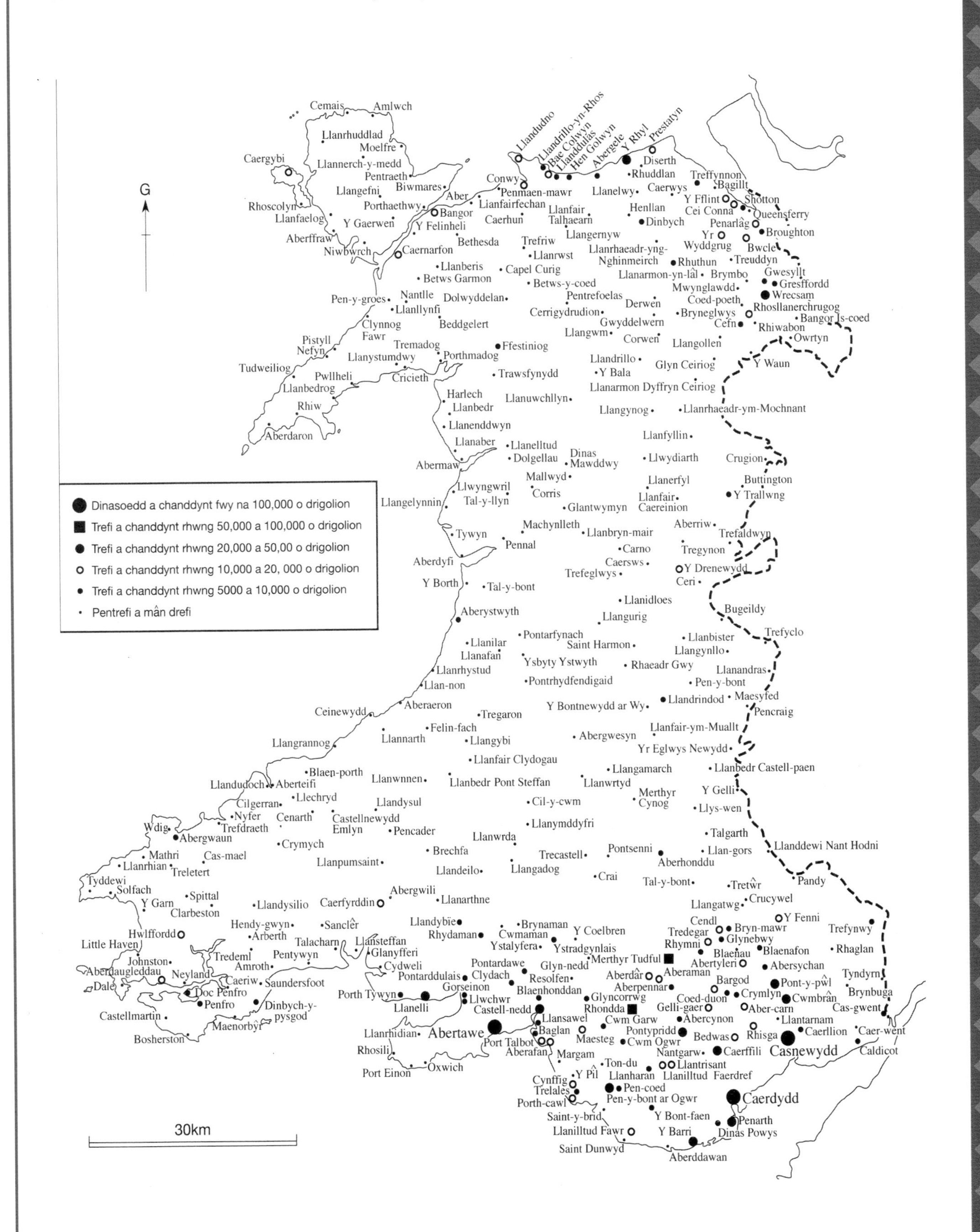

Mae enwau mynyddoedd, siroedd, afonydd, trefi, pentrefi a dinasoedd yn **ENWAU PRIOD**.

Mae angen priflythyren felly i bob enw priod.

Priflythrennau:

sir Gâr, sir Amwythig
mynydd Epynt, mynyddoedd Preseli
afon Teifi, afon Wysg

P	ym	Mh	ym Mhontypridd
T	yn	Nh	yn Nhreorci
C	yng	Ngh	yng Nghaergybi
B	ym	M	ym Medwas
D	yn	N	yn Ninbych
G	yng	Ng	yng Ngaerwen

Ydych chi'n medru dod o hyd i batrwm?

TASG

1. Treiglwch yr enwau llefydd hyn:

Dyffryn Nantlle ______________________

Powys ______________________

Casnewydd ______________________

Treffynnon ______________________

Garndolbenmaen ______________________

Bethesda ______________________

Penfro

Taliesin

Cellan

Bangor

Dinbych

Gellilydan

Trefdraeth

Caerffili

Porthaethwy

Garn-swllt

Bodelwyddan

Dolguog

TASG

1 Darllenwch y darnau hyn.

Mae nifer o wallau ym mhob darn.

Ewch ati i'w trafod a'u cywiro.

Rydw i'n byw mewn pentref bach o'r enw penmaen. Mae tua pedwar cant o pobl yn byw yn penmaen ac mae'r pentref yn agos iawn at mynyddoedd eryri. Lle bach yw penmaen a mae ddim llawer i gwneud yma. Mae eglwys, ysgol a siop yma ond bydd fi'n hoffi bod clwb nos yma hefid!

Gorsgoch yw fy cartref i. Mae ystyr arbennig i'r enw gan bod y pentref ger gors prin iawn sydd yn edrych yn coch oherwydd llyw y planhigion sydd arni. Mae plant gorsgoch yn dal y bws tu allan i dafarn cefn hafod i mynd i'r ysgol uwchradd yn llanbedr pont steffan.

Tref hynafol iawn yw Machynlleth ger afon dyfi a dyma oedd lleoliad senedd owain glyndŵr. Yn anffodus lle i twristiaid yw'r senedd heddiw. Mae amriwiaeth o siopau yn Machynlleth a ger y tref mae canolfan dechnoleg amgen. Canolfan diddorol iawn yw hon, gyda nifer o syniadau ar gyfer sicrhau dyfodol y amgylchedd.

Cymru o A i Y!

A am America

Mae dwy filiwn o bobl America â'u gwreiddiau yng Nghymru. Rhwng 1820 a 1950 symudodd 90,000 o Gymry i America. Roedd un o gyn-arlywyddion America, Thomas Jefferson, yn medru siarad 6 iaith – ac roedd y Gymraeg yn un o'r rheiny!

B am *Babs*

Torrodd John Parry Thomas, gyrrwr o Gymro, a'i gar o'r enw *Babs* record cyflymder y byd ar draeth Pentywyn ym 1928. Wedi i gar arall dorri'r record, dychwelodd *Babs* a Parry Thomas i Bentywyn i geisio ailgipio'r record. Bu damwain ar y traeth a bu farw Parry Thomas a llosgwyd y car. Cafodd y car ei gladdu mewn twll mawr yn y tywod ar draeth Pentywyn. Cododd Cymro arall y car o'r twll ym 1969 a'i gael i redeg unwaith eto.

Pa un o'r ffeithiau hyn sydd fwyaf diddorol i chi?

Pam?

C am Cantre'r Gwaelod

Tir oddi ar arfordir Ceredigion a gafodd ei foddi gan ddŵr wedi i'r gwyliwr, Seithennyn, feddwi mewn parti ac anghofio cau dorau'r morglawdd yw Cantre'r Gwaelod. Mae boncyffion pren yn dal i ddod i'r golwg ym Mae Ceredigion pan fydd y llanw'n isel.

Pa ffeithiau sydd yn newydd i chi?

Pa rai oeddech chi wedi clywed amdanynt o'r blaen?

Ch am Chwisgi

Mae cwmni chwisgi Cymreig, Penderyn, o Frycheiniog, yn gwerthu 75,000 o boteli'r flwyddyn.

D am Defaid

Mae mwy o ddefaid nag o bobl yng Nghymru. Mae cig oen Cymru gyda'r gorau yn y byd.

Dd am y Ddeddf Uno

Daeth Cymru'n swyddogol yn rhan o Brydain ym 1543. Rhan o'r ddeddf oedd nad oedd y Gymraeg i fod yn iaith swyddogol Cymru, ond yr iaith Saesneg. Roedd hyn yn wir hyd at 1993 pan wnaeth Deddf yr Iaith Gymraeg yr iaith yn swyddogol eto.

E am Everest

Cymro o Bowys oedd George Everest. Ei waith mapio ef ym 1823 ddaeth o hyd i'r ffaith mai'r mynydd yn yr Himalaya oedd yr uchaf yn y byd. Dyna pam mai Everest yw enw'r mynydd hwn.

F am Froncysyllte

Dyma lle mae'r bont ddŵr haearn hynaf yn y byd yn dal i weithio. Thomas Telford adeiladodd hi.

Ff am Ffilm

Mae dwy ffilm Gymraeg eu hiaith, *Hedd Wyn* a *Solomon a Gaenor* wedi eu henwebu am wobrau Oscar.

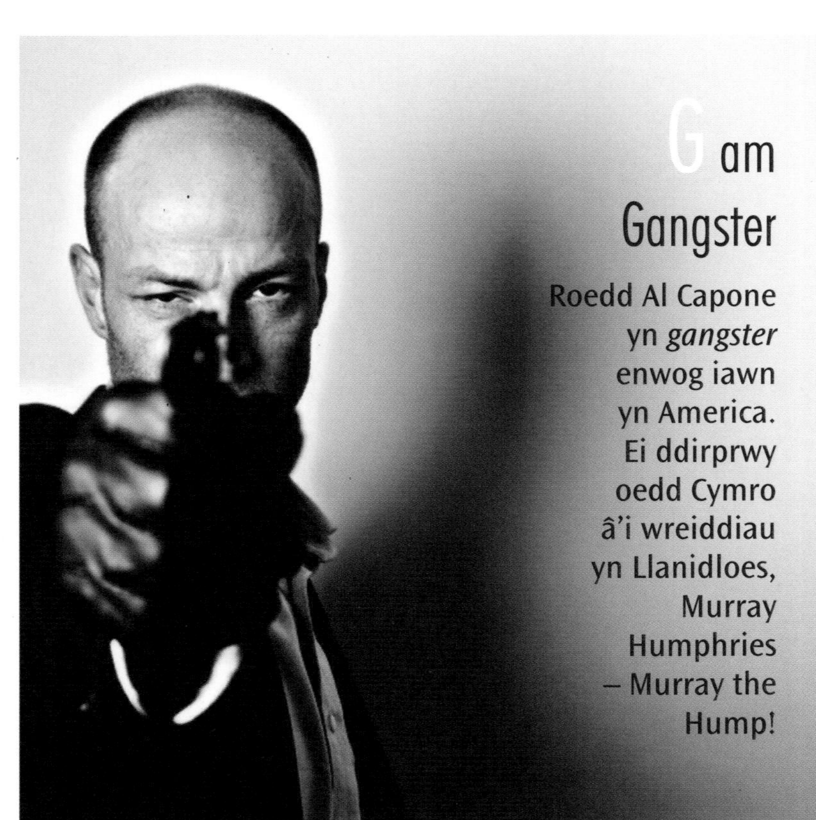

G am Gangster

Roedd Al Capone yn *gangster* enwog iawn yn America. Ei ddirprwy oedd Cymro â'i wreiddiau yn Llanidloes, Murray Humphries – Murray the Hump!

Ng am 'Fy Ngwlad'

Cerdd enwog gan Gerallt Lloyd Owen yn beirniadu'r tywysog Charles yn cael ei wneud yn Dywysog Cymru yw 'Fy Ngwlad'.

H am Hywel Dda

Fe wnaeth greu system cyfraith Cymru tua 900 OC. Roedd y deddfau'n dweud bod menywod yn gyfartal â dynion. Doedd hyn ddim yn rhan o ddeddfau gweddill Ewrop.

I am India-roc

Mae'n debyg mai ym Mhwllheli neu yn Llanerchymedd y cafodd y ffyn bach pinc, melys hyn eu gwneud am y tro cyntaf.

J am Japan

Mae nifer o bobl Japan wedi dysgu Cymraeg am eu bod nhw mor hoff o'r grŵp Cymraeg 'Super Furry Animals'.

Meddyliwch am bethau eraill diddorol am Gymru sy'n dechrau â

G

H

Ll

T

L am Lili'r Wyddfa

Mae'r lili brin yma'n tyfu ar yr Wyddfa ac ar fynyddoedd yr Alpau.

Ll am Llyfrau

Mae siop llyfrau ail law fwyaf y byd yn y Gelli Gandryll.

M am Mathemateg

Mathemategydd o Ddinbych-y-Pysgod, sir Benfro, Robert Recorde, ddyfeisiodd yr arwydd mathemategol =.

N am Na

Cafodd pobl Cymru bleidleisio a oedden nhw am gynulliad neu beidio – eu hateb ym 1979 oedd 'Na'. Erbyn 1999 roedd y 'Na' wedi troi'n 'Ie'.

O am Offa

Clawdd Offa yw'r enw ar y clawdd pridd sydd yn rhedeg 150 milltir o un pen o Gymru i'r llall. Brenin Mercia oedd Offa. Hyd yn oed heddiw mae'r clawdd yn 21 metr o uchder mewn rhai llefydd. Bu miloedd o ddynion wrthi'n codi'r clawdd er mwyn gwahaniaethu rhwng Cymru a Lloegr.

P am Patagonia

Ym 1865 gadawodd 154 o Gymry borthladd Lerpwl i sefydlu gwladfa Gymreig ym Mhatagonia, Ariannin. Mae pobl yn dal i siarad Cymraeg ym Mhatagonia heddiw.

Ph am Phil Williams

Roedd Phil Williams, Aelod Cynulliad Plaid Cymru o 1999 i 2003 yn ffisegwr blaenllaw, byd-eang.

R am Rolls Royce

Roedd Charles Rolls yn dod o sir Fynwy ac roedd ganddo ddiddordeb mawr mewn ceir. Ym 1906 agorodd gwmni cynhyrchu ceir gyda Frederick Royce.

Rh am y Rhufeiniaid

Daeth y Rhufeiniaid i Gymru yn 48 O.C. Mae ôl yr iaith Ladin i'w weld ar y Gymraeg o hyd: *fenestra* (ffenestr) a *liber* (llyfr).

S am Siop Recordiau

Siop recordiau *Spillers* yng Nghaerdydd yw'r siop recordiau hynaf yn y byd. Agorwyd y siop ym 1894.

T am Tennis

Yn Rhuthun y cafodd y gêm gyntaf o dennis ei chwarae erioed, ym 1873.

a Thwrbeini trydan

Ar ddechrau'r unfed ganrif ar hugain mae 1,000 o dwrbeini yng Nghymru yn cynhyrchu digon o drydan ar gyfer 100,000 o gartrefi.

U am Urdd Gobaith Cymru

Eisteddfod Genedlaethol Urdd Gobaith Cymru yw Gŵyl Ieuenctid fwyaf Ewrop.

W am *Welsh Not*

Roedd plant oedd yn siarad Cymraeg yn yr ysgol yn y bedwaredd ganrif ar bymtheg yn gorfod gwisgo'r *Welsh Not*. Byddai'r plentyn oedd yn ei wisgo ar ddiwedd y dydd yn cael y gansen.

Y am Yr Wyddfa

Yr Wyddfa yw mynydd uchaf Cymru. Roedd y criw a goncrodd Everest ym 1953 wedi ymarfer ar lethrau'r Wyddfa.

TASG

Trafodwch:

1. Pa un o'r ffeithiau hyn sydd fwyaf diddorol i chi? Pam?
2. Pa ffeithiau sydd yn newydd i chi?
3. Pa ffaith sydd wedi'ch synnu chi fwyaf?
4. Pa ffaith sydd yn eich gweud chi'n fwyaf balch o fod yn Gymro neu Gymraes?

Mae'n Wlad i Mi

"Mae'n wlad i mi ac mae'n wlad i tithau
O gopa'r Wyddfa i lawr i'w thraethau,
O'r de i'r gogledd,
O Fôn i Fynwy:
Mae'r wlad hon yn eiddo i ti a mi."

Wyt ti'n teimlo fel Cymro / Cymraes?

Beth sydd yn gwneud i ti deimlo fel hyn?

Adra - Gwyneth Glyn

"There is a town in North Ontario,"
meddai Neil Young yn ei gân;
"Sweet home Alabama,"
meddai Skynard rownd y tân.
"Dwi'n mynd nôl i Flaenau Ffestiniog,"
meddai'r hen Depot Piws;
"Take me home country road,"
meddai Denver, Be 'di'r iws?

Does unman yn debyg i adra,
Meddan nhw wrthaf fi.
Does unman yn debyg i adra,
Ond mae adra'n debyg iawn i chdi.

Cytgan

Dwn i ddim i lle dwi'n mynd,
Dwn i ddim lle dwi 'di bod;
Sgen i'm syniad lle dwi rŵan hyn,
Ond Duw a ŵyr lle dwi fod.

Dwi 'di cysgu dan y sêr yn y Sahara,
Ac aros ar 'y nhraed drwy'r nos ym Mhrâg;
Dwi 'di dawnsio ar fynydd hefo ffrindia newydd
A deffro ar awyren wag.

Cytgan

Fy nghynefin yw fy nefoedd,
A bro fy mebyd yw fy myd.
Nabod fama cystal â fi fy hun,
Felly pam dwi ar goll o hyd?

Sgen i'm map, a sgen i'm arwydd,
Sgen i'm *Rough Guide* ar y daith,
Dwi'n cau fy llygaid ac agor fy enaid,
A dilyn ôl dy lais.

Cytgan

TASG

Trafodwch y gân 'Adra' gan Gwyneth Glyn.

1. "Mae adra'n debyg iawn i chdi."
   I bwy neu beth mae'ch cartref chi'n debyg?

2. Beth yw'r gwrthgyferbyniad a geir yn y gân?
   Ydy'r gwrthgyferbyniad hwn yn effeithiol? Pam?

3. "Sgen i'm map, a sgen i'm arwydd
   sgen i'm *Rough Guide* ar y daith,"

   Beth yw ystyr y geiriau hyn i chi?

4. Beth, yn eich barn chi, yw thema neu neges y gân?
   Ydych chi'n cytuno â'r neges honno?

Pa deimladau y mae'r geiriau hyn yn eu creu ynddoch chi?

Pam?

TASG

1. Beth mae'r geiriau hyn yn eu golygu i chi?

   cartref

   cynefin

   bro

   ardal

   milltir sgwâr

   patsh

   cymdeithas

   gwreiddiau

2. Ydy'ch ardal yn bwysig i chi? Pam?

Pa ymadrodd Cymraeg sydd yn y cartŵn hwn?

HEWL GELLI FEDW

Un o Abertawe yw Neil Rosser, cyfansoddwr y gân hon. Mae tafodiaith arbennig yn perthyn i Gwm Tawe a cheir blas o hynny yn y gân.

Ro'dd 'na ddigon o gyffro yn ein pen ni o'r stryd,
Y lle digon bishi a lle digon clyd;
Ro'dd na deulu o'r Eidal ac un o Bacistán,
A bach o Gwmrâg i glywed ym mhob man.

bishi = *prysur*

Cytgan
Lawr yn Hewl Gelli Fedw
O'dd pawb yn gwpod ych enw,
A lawr yn Hewl Gelli Fedw
Ochor Dreforys o'r dre.

gwpod = *gwybod*

Golygfa odidog o waith oil a gwaith dur,
Ro'dd y draffordd yn agos, d'odd yr aer ddim yn bur;
Hen bobol yn peswch ac yn rhecu yn Gymrâg,
Yn achwyn am brisiau a'u pocedi yn wag.

rhecu = *rhegi*

Y Swans o'dd ein 'arwyr, dim Lerpwl na *Man U*,
Cefnogi tîm lleol oedd ein ffordd ni o fyw.
Cico pêl ffwtbol tan yn hwyr yn y nos
A pîdo byth dangos fod wad yn rhoi lo's.

pîdo = *peidio*
wad = *rhywun yn eich taro*
lo's = *yn brifo*

Dim lot o wyrddni a dim amaeth chwaith,
A dim lot o gyfoeth a dim lot o waith,
Ond digon o gwmni oedd i ga'l yn y stryd,
A pan o'n i'n bymtheg, hwn oedd fy myd.

Neil Rosser

"Lawr yn Hewl Gelli Fedw
O'dd pawb yn gwpod ych enw"

Ydy hyn yn wir am lle'r ydych chi'n byw?

Grŵp trafod llwyddiannus:

- pawb yn cael tro;
- gwrando ar eraill;
- parchu barn;
- holi cwestiynau i'ch gilydd;
- cwrtais ac aeddfed.

TASG

1. Ydych chi'n adnabod eich cymdogion?
   Pa fath o berthynas sydd rhyngoch chi?

2. Ydy'r bobl sydd yn byw yn eich ardal chi yn cymdeithasu â'i gilydd – e.e. mewn digwyddiadau sydd yn cael eu trefnu, fel sioe, eisteddfod leol, cymdeithasau arbennig?
   Ydy pawb yn cefnogi neu rai pobl yn unig?

3. Ydy pobl eich ardal chi yn gwybod popeth am bawb? e.e. Pwy sydd wedi cael babi, pwy sydd yn yr ysbyty, pwy sydd wedi pasio prawf gyrru?
   Ydy hyn yn beth da neu ai bod yn fusneslyd mae pobl?

4. Ydy hi'n haws byw mewn lle ble mae pawb yn byw'n annibynnol ar ei gilydd?

"A pan o'n i'n bymtheg, hwn oedd fy myd."

Pam mae cymaint o bobl ifanc eisiau byw mewn trefi a dinasoedd gan adael eu pentrefi a'u cymunedau?

5. Ydych chi'n teimlo fel hyn am eich ardal chi?
   Pam?

6. Mae rhai pobl ifanc yn awyddus iawn i symud i ardal newydd.
   Weithiau, pan fyddan nhw'n hŷn maen nhw'n awyddus iawn i ddychwelyd.

   Pam tybed?

TASG

Ysgrifennwch erthygl i wefan newyddion 'Cymru'r Byd'.

Bwriad yr erthygl yw mynegi barn ar ddyfodol pentrefi a threfi bach wrth i'r bobl ifanc adael am y dinasoedd mawr.

Beth fydd meini prawf llwyddiant yr erthygl?

Penderfynwch yn eich grŵp beth fydd yn gwneud erthygl o'r fath yn un lwyddiannus.

Efallai bydd darllen yr erthygl sydd ar dudalen 19 o gymorth wrth i chi greu'r meini prawf.

Nodwch y pwyntiau mewn rhestr.

Paratoi

- Beth yw'ch barn ar y pwnc?
  Oes profiad personol gennych?
- Cofiwch y bydd angen tystiolaeth i gyfiawnhau'ch barn.
- Oes modd dod o hyd i wybodaeth neu ystadegau a fydd yn cadarnhau'ch safbwynt?
  Ble fyddech chi'n dod o hyd i'r ffeithiau hyn?

Creu

- Ystyriwch y ffurf o safbwynt:
  - arddull;
  - cywair iaith.
- Gwnewch yn siŵr bod eich dadleuon wedi'u cynllunio'n ofalus mewn paragraffau clir – un ergyd ar y tro.
- Ystyriwch y meini prawf y gwnaethoch chi eu creu ar y dechrau. Ydy'ch gwaith chi'n ateb y meini prawf hyn?
- Oes rhywbeth arall allech chi'i wneud i wella'ch gwaith?

Enghraifft o erthygl mynegi barn.

Mae angen i Unol Daleithiau America ddileu'r gosb eithaf.

Mae Unol Daleithiau America, yn ôl pob sôn, yn wlad waraidd, ddatblygiedig. Gwlad sy'n hoff o feddwl ei bod yn arweinydd byd. Trueni felly nad ydy hi'n medru trin ei phobl yn deg a chyfiawn – a hynny ym mhob achos. Ataliwyd defnyddio crogi fel cosb yng ngwledydd Prydain ym 1965. Heddiw, flynyddoedd maith yn ddiweddarach, mae rhai taleithiau yn America yn dal i ddefnyddio'r gosb eithaf; naill ai drwy chwistrelliad marwol neu'r gadair drydan.

Y ffaith amdani yw bod nifer fawr iawn o'r carcharorion hyn wedi cyflawni troseddau erchyll. Maent yn ddiamheuol yn haeddu eu cosbi. Ai'r gosb eithaf yw'r gosb haeddiannol?

Mae ymchwil ddiweddar wedi dangos bod canran helaeth o'r bobl a ddedfrydwyd i farwolaeth yn nhalaith Texas yn bobl a oedd yn dioddef o wahanol gyflyrau seiciatryddol. Pobl y mae cymdeithas wedi'u methu. Pobl a ddylai gael y gofal haeddiannol mewn llefydd arbenigol – nid pobl sy'n cael eu gadael i grwydro'r strydoedd. A sut mae America yn ymateb i hyn? Eu dedfrydu i farwolaeth. Ffaith arall yw bod canran sylweddol o'r rhai a ddedfrydir i farwolaeth yn bobl nad ydynt yn wyn, ac nad ydynt yn siarad Saesneg fel iaith gyntaf. Pa gasgliadau y gellid eu gwneud o'r ffeithiau hyn?

Mae angen, ac mae'n ddyletswydd ar bobl mewn gwlad sy'n credu mewn chwarae teg i fynd i'r afael â'r anghyfianwder hwn. Mae America, 'gwlad y bobl rydd', yn damsgen ar hawliau ei phobl.

Ystyriwch y canlynol:

- Trefn yr erthygl.
- Yr eirfa a ddefnyddir – oes ambell air yn cael ei ddefndddio i bwrpas arbennig?
- Pa nodweddion arddull a ddefnyddir i bwrpas?
- Pa ddefnydd a wneir o ffeithiau a thystiolaeth i gadarnhau barn?
- Sut byddech chi'n gwella'r erthygl hon?

Damsgen = *sathru*

YMA WYF INNAU I FOD

Cerdd yw hon am dref Caernarfon.

Yma wyf innau i fod

Mae 'na ddau yn mynd i ryfel y tu allan i'r Pendeits
tra bo'r afon dal i chwydu ei phoen i'r aber,
mae 'na sŵn poteli'n chwalu fel priodas lawr y lôn,
a neb yn meddwl gofyn pam fel arfer;
mae 'na ferched heb fodrwyau yn siarad celwydd noeth,
mae'r dref fel tae 'di'i mwrdro ar ei hyd;
ond mae'r lleuad dal i wenu ar hen strydoedd budur hon
fel pob tref ddifyr arall yn y byd.
Mae'n flêr a does na'm seren heno i mi uwch fy mhen,
dwi'n geiban ond yn gwybod mai yma wyf innau i fod.

Mae 'na ddiwrnod newydd arall yn sleifio i lawr Stryd Llyn
ac mae hogiau'r 'ochr bella' yn dod yn heidiau,
a dod y maen nhw i gwyno nad oes unlle gwell i fynd
cyn mynd i'r Harp i yfed efo'u teidiau.
Does ganddyn nhw ddim breuddwyd na 'chwaith
yr un llong wen,
ond mae ganddyn nhw ei gilydd reit o'r crud,
ac mae'r haul yn dal i godi calonnau'r dref fach hon
fel pob tref ddifyr arall yn y byd.
Mae'n flêr a does na'm seren heno i mi uwch fy mhen,
dwi'n geiban ond yn gwybod mai yma wyf innau i fod.

A'r hogia llygaid barcud, efo'u sŵn a'u rhegi mawr,
y rhain sy' piau pafin pob un stryd,
ond y rhain a'u hiaith eu hunain sy'n cadw'r dref yn fyw,
fel pob tref ddifyr arall yn y byd.
Mae'n flêr a does na'm seren heno i mi uwch fy mhen,
dwi'n geiban ond yn gwybod mai yma wyf innau i fod.

Meirion MacIntyre Huws

Pendeits = tafarn yn y dre

mwrdro = wedi'i ladd

geiban = wedi meddwi

Stryd Llyn = stryd yng Nghaernarfon

Harp = enw tafarn

iaith eu hunain = tafodiaith Caernarfon

TASG

Trafodwch y gerdd 'Yma wyf innau i fod' gan Meirion Macyntyre Huws.

1. Pa fath o ddarlun a geir o Gaernarfon yn y pennill cyntaf?

2. Pa fath o ddynion ydy:

   "hogiau'r 'ochor bella'"
   a'r
   "hogia llygaid barcud"?

3. Beth, yn eich barn chi, yw ystyr:

   "dwi'n geiban ond yn gwybod mai yma wyf innau i fod"?

4. Beth yw agwedd y bardd tuag at Gaernarfon?
   Pam ydych chi'n credu hyn?

Sut i gymahru cerddi

Ystyriwch agweddau penodol i'w cymharu gan greu paragraff i bob un:

- neges;
- naws;
- technegau.

5. Darllenwch y gân 'Hewl Gelli Fedw' gan Neil Rosser a'r gerdd 'Yma wyf innau i fod' gan Meirion Macyntyre Huws.

   Oes elfennau tebyg rhwng y ddwy gerdd?

   Cymharwch y ddwy gerdd o safbwynt:

   - cynnwys;
   - agwedd;
   - arddull a'r defnydd o eirfa.

DISGRIFIO LLUNIAU

TASG

Dewiswch un o'r ddau lun ar dudalen 26.
Mae gennym arfau arbennig i'w defnyddio wrth ddisgrifio:

ANSODDEIRIAU

Mae ansoddair yn disgrifio.
Mae rhai ansoddeiriau'n cael eu defnyddio'n aml iawn – ceisiwch feddwl am yr union ansoddair sydd ei angen arnoch. Mae defnyddio un ansoddair effeithiol yn llawer gwell na thri ansoddair arall.

Cofiwch fod ansoddeiriau'n treiglo ar ôl 'yn'.

Ansoddeiriau a'r treiglad meddal		
p	b	yn brofiadol
t	d	yn dalsyth
c	g	yn groesawgar
b	f	yn falch
d	dd	yn ddistrywiol
g	-	yn odidog
m	f	yn faleisus

CYFFELYBIAETHAU

Cyffelybiaeth yw dweud bod rhywbeth 'fel' rhywbeth arall. e.e.
'yn llwyd fel tonnau'r môr stormus'.

CYMARIAETHAU

Mae bwriad cymhariaeth yr union yr un peth â chyffelybiaeth, sef cymharu dau beth.
Mae cymhariaeth yn defnyddio'r gair 'mor' e.e.
'Mor llwyd â thonnau'r môr stormus'.

PERSONOLI

Wrth bersonoli, rydyn ni'n rhoi nodweddion person i rywbeth nad yw'n fyw e.e.
'gweflau'r môr yn chwerthin'.

TROSIAD

Trosiad yw dweud bod rhywbeth yn rhywbeth arall e.e. 'ymateb y gynulleidfa yn storm o chwerthin'.

Ystyriwch y nodweddion hyn wrth lunio'ch disgrifiad.

TASG

Mae'r darnau hyn yn wallus.

Cywirwch y darnau; mae angen sylw gofalus ar yr ansoddeiriau. Mae 9 camgymeriad ym mhob darn.

Roedd dim sôn am cwmwl yn yr awyr. Roedd yr haul yn melyn a poeth ac roedd pawb yn chwysi yn y gwres. Roedd pawb ar y traith yn ymlacio, y môr yn tawel a'r hufen iâ yn blasus. Yn sydyn, clywodd Nia sŵn ofnadwi.

GWALL	CYWIRIAD

Roedd e'n storm ofnadwy, a'r elfenau'n arw. Chwipiau'r gwynt yn di-drugaredd ar gwynebau'r pobl ifanc. Roedd yr awyr yn lwyd ac yn bygythiol, a crynai Sam.

GWALL	CYWIRIAD

CYFLWYNIAD LLAFAR

"Does 'na unman yn debyg i …"

TASG

Mae eisiau i chi gynllunio cyflwyniad unigol yn trafod eich ardal.
Dylai'r cyflwyniad bara am ryw dair munud.

Cynllunio

Beth ydych chi eisiau'i ddweud am eich ardal?
Does dim posib dweud y cyfan mewn tair munud!
Beth am ganolbwyntio ar rai elfennau a chreu pennawd ar gyfer pob un?
Meddyliwch am eiriau allweddol a fydd o gymorth i chi wrth siarad. Gallai luniau helpu hefyd.

Paratoi

Dydych chi ddim yn cael darllen sgript, felly mae'n rhaid i chi baratoi'n ofalus.
Gweithiwch gyda phartner.
Pa awgrymiadau maen nhw'n medru'u rhoi i chi?
Ydy'r siarad yn ddiddorol?
Ydy'r eirfa yn addas?
Ydych chi'n ddigon hyderus?

Gwerthuso

Sut aeth hi?
Wnaethoch chi siarad yn rhwydd a naturiol?
Beth oedd yn gwneud y cyflwyniad yn ddifyr?
Pa bethau fyddech chi'n eu gwneud yn wahanol y tro nesaf?
Beth oedd barn gweddill y dosbarth ar eich cyflwyniad?
Pa bethau fyddech chi'n eu defnyddio o gyflwyniadau pobl eraill yn y dosbarth?

Cynllunio

- rhestru posibiliadau;
- didoli a blaenoriaethu;
- datblygu;
- cloi.

Beth am ddefnyddio rhaglen *Powerpoint* i wneud cyflwyniad?

Wyt ti'n meddwl bod ...?

Tro nesa' gallet ti ...

Y JOBYN GORAU YN Y BYD

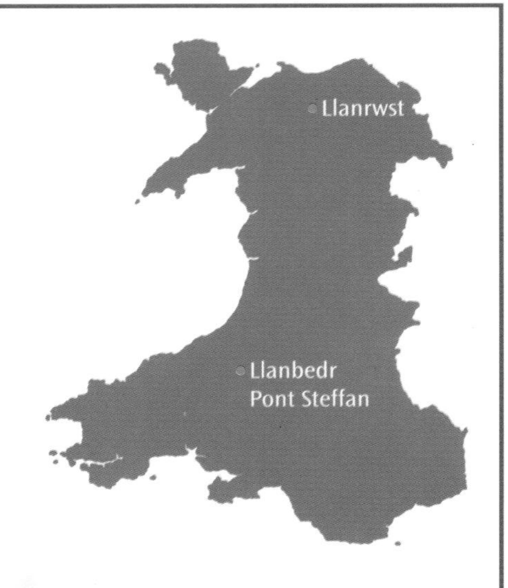

Dyn o Lanbedr Pont Steffan yw Gary Slaymaker. Mae e'n gweithio fel arbenigwr ar ffilmiau i Radio Cymru a S4C. Mae e hefyd yn ddigrifwr. Mae Gary wedi teithio drwy Gymru yn ffilmio ar gyfer gwahanol gyfresi, ac yn y darn hwn mae'n adrodd stori am aros dros nos yn Llanrwst gyda'r bobl oedd yn paratoi ei raglen deledu, Liz a Iorwerth (Ior). Roedd Ior yn dod o Lanrwst yn wreiddiol.

Yn amal pan fydden ni'n ffilmio yn y gogledd, bydden ni'n aros yn Llanrwst. Ro'dd Ior yn galler aros yn nhŷ ei fam a Liz a finne wedyn yn cael lle yng ngwesty'r Eryrod yng nghanol y dre. Cwmpes i mewn cariad â Llanrwst y tro cynta es i yno. Mae'n debyg iawn i Lambed. Tre Gymreig yng nghanol ardal amaethyddol gyda siopau bach yn llawn o Gymry cyfeillgar a thomen o dafarndai yn ei chanol hi. Fe dreulies i a Ior nosweithie yn yr Albion yng nghwmni'r tafarnwr, Slim, ac ro'dd 'na wastad groeso yn y dre i hwntw, neu 'sowthyn', fel fi.

Dw i'n cofio'r noson aeth Ior a fi draw i'r Red Lion, yr ail dro i fi fod yn Llanrwst. Tafarn y ffermwyr lleol oedd y Red, a hefyd hon oedd cartre clwb rygbi Nant Conwy. Cyn i ni gamu drwy'r drysau, dyma Iorwerth yn troi ata i a dweud,

- Nawr, jyst i dy rybuddio di. Naill ai byddi di'n iawn mewn fan hyn neu bydd rhywun yn cynnig mynd â ti allan am ffeit o fewn y pum munud nesa. Iawn? Tyrd yn dy flaen ta, Slay.

Wel, o leia rown i'n gwbod beth i'w ddisgwyl nawr. Wrth gerdded i mewn i'r dafarn fe glywais lais, ynghanol criw o fois lleol, yn dweud,

- Blydi hel, Slaymaker? Be wyt ti'n da yma?

Er mwyn trial rhoi gwên ar wyneb y criw oedd yn eistedd wrth y bwrdd, fe wedes i,

Sylwch ar y ffordd mae'r ddeialog yn cael ei nodi.

- Torrodd y Ferrari lawr jyst tu fas i'r dre, wedyn dw i'n aros yn Llanrwst heno.

Edrychodd un ffarmwr ar y llall cyn dweud,

- Ferrari? 'Na chdi, mi ddudais i bod y diawlad S4C 'ma'n ennill llawer gormod o bres! Duw, Iorwerth, hwn sy efo chdi?

Dai Jones, Llanilar – cyflwynwydd poblogaidd iawn ar S4C.

Aeth Iowerth draw at y bois gan ddweud ma aros dros nos rown i, cyn ffilmio yn yr ardal fore trannoeth. Dyma wahoddiad i'r ddau ohonon ni eistedd gyda'r bois. Ac am yr oriau nesa buon ni'n rhannu storïau a jôcs ac yn canu caneuon oddi ar y juke box. Fe brynodd y bois beint i fi ac fe brynes i gwrw iddyn nhw.

Dyma un arall o'r gwersi pwysicaf ddysges i gan fy nhad. Os bydd rhywun yn prynu peint i ti, gwna'n siŵr bod 'na arian 'da ti i brynu un nôl! Ac ma'r cyngor 'na wedi achub fy nghroen i sawl gwaith dros y blynyddoedd.

Wrth i ni ffarwelio â'r bois y noswaith 'ny a cherdded yn sigledig am y drws ffrynt, fe wnaeth y dafarnwraig gydio yn fy mraich i a dweud yn dawel,

- Dim ond un person arall sy wedi cael croeso fel yna gan yr hogia, a Dai Jones, Llanilar oedd hwnnw.

Wel, sôn am eisin ar y gacen! Os own i'n cael fy ystyried yn yr un cwmni dethol â Dai Llanilar, ein 'trysor cenedlaethol', ro'dd rhaid 'mod i wedi gneud rhywbeth yn iawn. Dw i 'di bod nôl yn y Red sawl gwaith ers hynny, ac ma'r croeso'n dal yr un fath. Ac erbyn hyn dw i hefyd yn cadw llygad ar y papurau Sul i weld shwt ma tîm Nant Conwy'n gwneud yn eu gêmau rygbi.

TASG

Er mai darn am ymweliad Gary Slaymaker â Llanrwst yw hwn, nid yw'r awdur yn disgrifio'r dref i'r darllenydd.

Trafodwch:

1. Pa fath o ddarlun o Lanrwst a'i phobl mae Gary Slaymaker wedi'i roi i'r darllenydd?
2. Sut mae Gary Slaymaker wedi creu'r darlun o Lanrwst i ni?

Sylwch ar y ffordd y mae'n ysgrifennu'r hanes:

person cyntaf | deialog | hiwmor

3. Chwiliwch am enghreifftiau o'r nodweddion hyn.
4. Pam ydych chi'n credu bod yr awdur wedi eu defnyddio yn y darn hwn?
5. Ydych chi wedi ymweld ag ardal arall yng Nghymru?

- Ble?
- Beth oedd pwrpas yr ymweliad?
- Beth welsoch chi yno?
- Pwy wnaethoch chi gyfarfod?
- Pa fath o bobl oedden nhw?
- A ddigwyddodd rhywbeth difyr?
- Pa fath o argraff gawsoch chi o'r lle?

Person cyntaf
fi
Dw i
Es i
Roeddwn i

TASG

Ysgrifennwch hanesyn yn disgrifio ymweliad naill ai ag ardal yng Nghymru neu y tu hwnt.

Ffurf

Rydych chi'n bwrw golwg 'nôl ar ymweliad ag ardal arbennig.
Sut ydych chi'n mynd i ddewis eich lleoliad?

- Bydd naws atgofion i'r darn.

Sut mae creu naws?

- Ambell ansoddair, cymariaethau gwreiddiol.
- Bydd paragraff agoriadol yn cyfleu pwrpas yr ymweliad.

Sut mae saernïo paragraff agoriadol?

- Meddyliwch am frawddeg agoriadol a fydd yn denu sylw. Peidiwch â sôn am yr hyn sy'n amlwg bob tro.
- Bydd y paragraffau nesaf yn disgrifio'r ardal a'r bobl.

Sut mae gwneud hyn yn ddifyr?

- Nid oes angen disgrifiad corfforol manwl o bawb – mae canolbwyntio ar ambell agwedd yn well e.e. chwerthiniad, cerddediad neu wisg person.
- Gallai un paragraff sôn am gyfarfod â pherson neu bobl arbennig gan adrodd y sgwrs ddigwyddodd. Sylwch sut mae Gary Slaymaker yn gwneud hyn.

Pa ffyrdd eraill sydd o wneud hyn?

- Dylai paragraff clo penodol fod i'r gwaith yn crynhoi'r argraff a gawsoch chi o'r ardal.

Crynhoi argraffiadau

Pa brofiadau / ddelweddau fydd yn aros yn eich cof?
Fyddech chi eisiau dychwelyd?
– Pryd? Pam?

- Atgofion am ymweliad sydd yma, felly bydd yr hanesyn yn cael ei ysgrifennu yn yr amser gorffennol.

Roeddwn i
Cefais i
Aethon ni
Ymlwybron ni

- Mae'r atgof yn un personol, felly byddwch chi'n ysgrifennu yn y person cyntaf.

Wedi i mi feddwl ...
Profaid arall a gefais ...
Yn sicr, rwy'n teimlo'n ...

- Byddwch yn dewis a dethol ansoddeiriau er mwyn creu darlun o'r ardal. Peidiwch â mynd dros ben llestri.

Cofiwch fod ansoddeiriau'n treiglo ar ôl 'yn' > yn dawel, yn fyrlymus.

- Yn yr un modd, meddyliwch am ambell gyffelybiaeth neu gymhariaeth wreiddiol a'u defnyddio'n ddoeth.

- Sicrhewch eich bod yn cofnodi deialog yn llyfn a rhwydd, yn union fel mae pobl yn siarad.

Oedden nhw'n defnyddio geiriau tafodieithol? Os oedd y bobl hyn yn siarad iaith arall rhaid cofnodi'r ddeialog yn y Gymraeg, gan mai darllenwyr Cymraeg fydd cynulleidfa'r darn.

Gormod o bwdin dagith gi …

Gormod o ansoddeiriau dagith ddarn …

TASG

Darllenwch y darn hwn.

Roedd hi'n ddiwrnod hyfryd, bendigedig o haf a'r haul yn felyn a chrwn yn yr awyr las, di-gwmwl. Roedd ei wres yn arbennig o boeth ac yn effeithio ar bawb a orweddai ar y traeth perffaith.
Roedd Tomos wrth ei fodd. Pa well gwyliau? Roedd y tywod yn feddal a dilychwin oddi tano a'r gronynnau aur fel trysor yn ei ddwylo. Gallai weld y môr o'i flaen a'i donnau gleision yn dawnsio'n hapus a braf.

1. Beth yw'ch barn chi am y darn hwn?
2. Beth sydd yn dda amdano?
3. Beth fyddech chi'n ei newid? Pam?
4. Mewn parau, ailddrafftiwch y darn i'w wneud yn fwy cynnil ac awgrymog.

Ansoddeiriau yn treiglo'n feddal ar ôl 'yn'	
p	yn brydferth
t	yn dlawd
c	yn gyfoethog
b	yn fach
d	yn ddiddorol
g	yn wych
m	yn fawr

Edrychwch yn ofalus ar 'll' a 'rh'	
ll	yn llawen
rh	yn rhad

gormodiaith	cynildeb / awgrymu
Roedd yr awyr yn fygythiol ac yn ddu fel y glo. Byddai storm aruthrol o fellt a tharanau cyn bo hir.	Roedd yr awyr yn addo storm.

Gormodiaith = gor-ddweud / gormod o iaith

TRAWS CAMBRIA

Y Traws Cambria yw'r enw ar y bws dyddiol sydd yn teithio o Gaergybi i Gaerdydd.

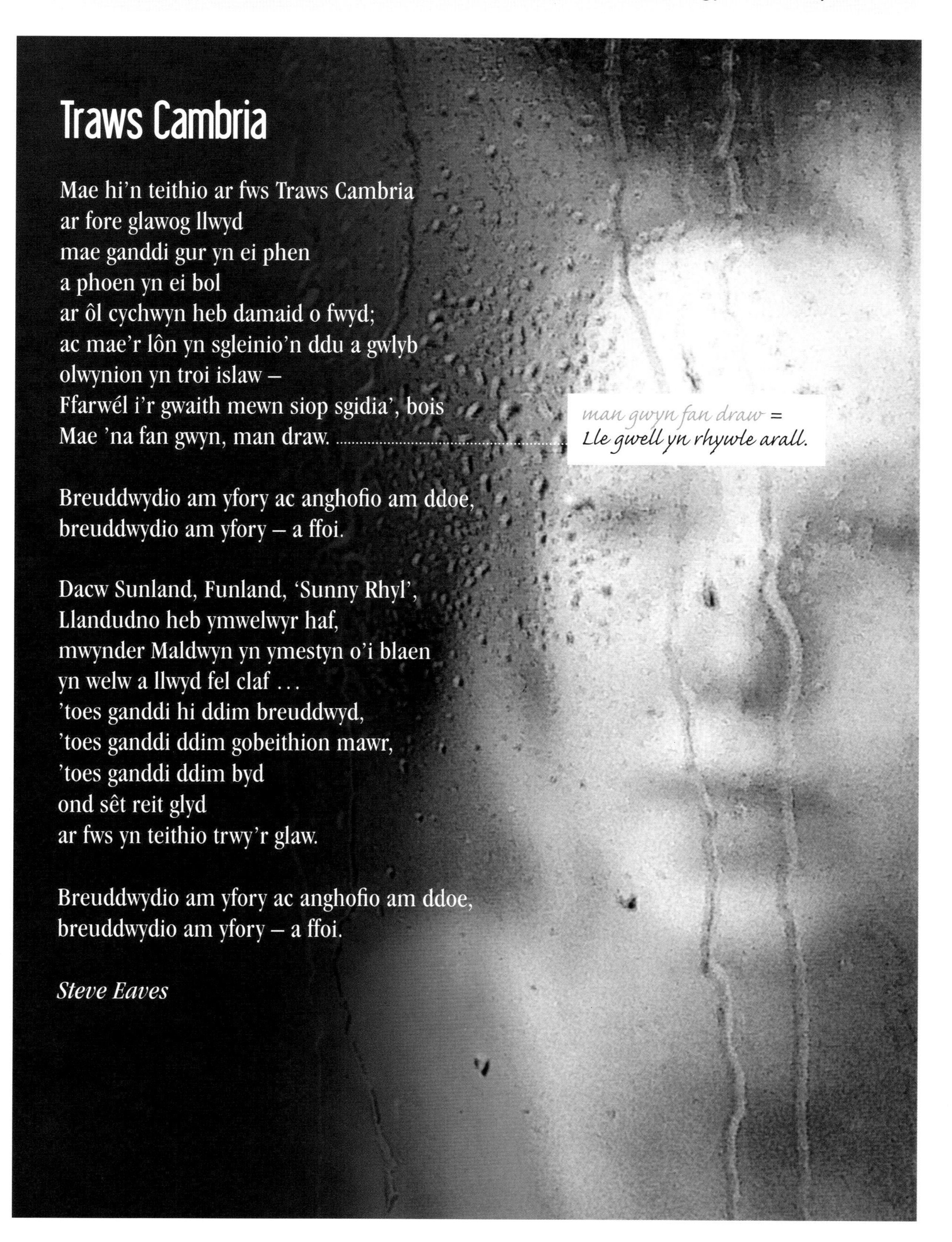

Traws Cambria

Mae hi'n teithio ar fws Traws Cambria
ar fore glawog llwyd
mae ganddi gur yn ei phen
a phoen yn ei bol
ar ôl cychwyn heb damaid o fwyd;
ac mae'r lôn yn sgleinio'n ddu a gwlyb
olwynion yn troi islaw –
Ffarwél i'r gwaith mewn siop sgidia', bois
Mae 'na fan gwyn, man draw.

man gwyn fan draw = *Lle gwell yn rhywle arall.*

Breuddwydio am yfory ac anghofio am ddoe,
breuddwydio am yfory – a ffoi.

Dacw Sunland, Funland, 'Sunny Rhyl',
Llandudno heb ymwelwyr haf,
mwynder Maldwyn yn ymestyn o'i blaen
yn welw a llwyd fel claf …
'toes ganddi hi ddim breuddwyd,
'toes ganddi ddim gobeithion mawr,
'toes ganddi ddim byd
ond sêt reit glyd
ar fws yn teithio trwy'r glaw.

Breuddwydio am yfory ac anghofio am ddoe,
breuddwydio am yfory – a ffoi.

Steve Eaves

TASG

1. Pa awyrgylch sydd i'r gân?
2. Pa eiriau mae Steve Eaves yn eu defnyddio i greu'r awyrgylch hwn?
3. Oddi wrth bwy neu beth ydych chi'n ei gredu y mae'r ferch yn ffoi a pham?
4. Pa linell o'r gerdd sydd fwyaf trawiadol yn eich barn chi a pham?

AWYRGYLCH

Defnyddio geiriau i greu teimlad neu naws arbennig.

Y Traws Cambria yw'r bws sydd yn teithio rhwng gogledd a de Cymru. Mae'n cymryd dros 5 awr i deithio o Gaergybi i Gaerdydd ar y bws hwn.

Does dim posib teithio mewn trên o Gaerdydd i'r gogledd heb orfod teithio drwy Loegr ac ar ambell i daith mae angen newid trenau sawl gwaith.

Mae gyrru mewn car rhwng de a gogledd Cymru yn oriau o daith. Does dim prif lôn ar gyfer y daith.

Ydy hi'n iawn bod pobl Caernarfon yn gallu cyrraedd Llundain yn gynt na chyrraedd Caerdydd?

Ydy hi'n iawn bod pobl Llanelli yn gallu cyrraedd Llundain yn gynt na Llannerch-y-medd?

Pa effaith ydych chi'n ei gredu y mae hyn yn ei gael ar wlad, pan nad oes modd teithio'n hwylus rhwng y gogledd a'r de?

Mae syniad ar droed i adeiladu traffordd yn mynd yn syth o Gaerdydd i Gaergybi. Byddai'r draffordd yn mynd ar hyd cyrion y mwyafrif o brif drefi Cymru. Byddai'r draffordd yn lleihau'r amser teithio rhwng y de a'r gogledd o ddwy awr.

Fyddech chi'n hoffi traffordd hwylus o dde Cymru i'r gogledd?

Beth fyddai manteision hyn?

Beth fyddai anfanteision hyn?

X50 tua'r De Aberystwyth - Aberteifi *trwy Llanrhystud - Aberaeron - Synod Inn*

Dydd Llun i Ddydd Sadwrn (ac eithrio Gwyliau Banc)

Cod y Dydd	Dim SAD				SAD	Dim SAD		Dim SAD	
Aberystwyth, Heol Alexandra, Safle E	0735	0910	-	-	-	1610	-	1815	1945
Llanrhystud, Y Llew Du	0755	0932	-	-	-	1632	-	1835	2005
Gwasanaeth X40 yn cyrraedd o Gaerfyrddin			*0946*	*1146*	*1346*	*1546*	*1646*		*1849*
Gwasanaeth X40 yn cyrraedd o Aberystwyth			*0952*	*1142*	*1342*	*1542*	*1647*		*1747*
Aberaeron, Sgwâr Alban	0811	0955	1155	1355	1555	1655	1755	1855	2021
Llanarth	0819	1003	1203	1403	1603	1703	1803	1903	2029
Synod Inn	0823	1007	1207	1407	1607	1707	1807	1907	2046
Plwmp, Swyddfa'r Post	0827	1011	1211	1411	1611	1711	1811	1911	2050
Tan Y Groes	0836	1020	1220	1420	1620	1720	1820	1920	2059
Blaenporth	0838	1022	1222	1422	1622	1722	1822	1922	-
Blaenannerch	0840	1024	1224	1424	1624	1724	1824	1924	2114
Penparc	0843	1027	1227	1427	1627	1727	1827	1927	2117
Aberteifi , Tesco	Cais	1033	1233	1433	1633	1733	1833	1933	2123
Aberteifi, Sgwâr Finch, Heol y Santes Fair, Safle C	0853	1037	1237	1437	1637	1737	1837	1937	2127

Golyga Dim SAD nad yw'r gwasanaeth yn rhedeg ar ddydd Sadwrn

Golyga SAD bod y gwasanaeth yn rhedeg ar ddydd Sadwrn yn unig

Mae'r saeth yn dangos taith drwodd

Nid oes gwasanaeth X50 ar ddydd Sul nac ar Wyliau Banc

Cais: Bws yn mynd i Tesco ar eich cais

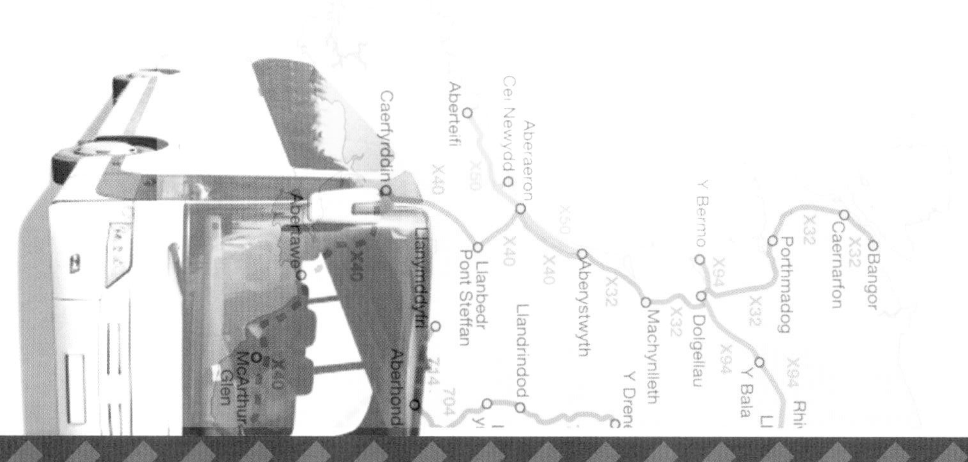

X50 tua'r Gogledd Aberteifi - Aberystwyth *drwy Synod Inn - Aberaeron - Llanrhystud*

Dydd Llun i Ddydd Sadwrn (ac eithrio Gwyliau Banc)

Cod y Dydd	Dim SAD	SAD	Dim SAD				Dim SAD	SAD	Dim SAD	
Aberteifi, Sgwâr Finch, Heol y Santes Fair, Safle C	0600	0645	0725	0855	1055	1255	1430	1455	1600	1700
Aberteifi , Tesco	0604	0649	0729	0859	1059	1259	1434	1459	1606	1704
Penparc	0607	0652	0732	0902	1102	1302	1437	1502	1609	1707
Blaenannerch	0610	0655	0735	0905	1105	1305	1440	1505	1612	1710
Blaenporth	0612	0657	0737	0907	1107	1307	1442	1507	1614	1712
Tan Y Groes	0614	0659	0739	0909	1109	1309	1444	1509	1616	1714
Plwmp, Swyddfa'r Post	0623	0708	0748	0918	1118	1318	1453	1518	1625	1723
Synod Inn	0627	0712	0752	0922	1122	1322	1457	1522	1629	1727
Llanarth	0631	0730	0756	0926	1126	1326	1501	1526	1633	1731
Aberaeron, Sqwâr Alban	0640	0739	0805	0935	1135	1335	1510	1535	1642	1740
Gwasanaeth 550 yn gadael am Gei Newydd				*1015*	*1215*	*1415*	*1625*	*1625*	*1720*	*1820*
Gwasanaeth X40 yn gadael am Aberystwyth				*0948*	*1148*	*1348*		*1548*	*1648*	*1748*
Gwasanaeth X40 yn gadael am Gaerfyrddin	*0707*	*0845*		*0955*	*1145*	*1345*	*1545*	*1545*	*1650*	*1750*
Llanrhystud, Y Llew Du	0657	0800	0825	-	-	-	1538	-	1703	-
Aberystwyth, Heol Alexandra, Safle E	0718	0825	0858	-	-	-	1610	-	1730	-

Golyga Dim SAD nad yw'r gwasanaeth yn rhedeg ar ddydd Sadwrn

Golyga SAD bod y gwasanaeth yn rhedeg ar ddydd Sadwrn yn unig

Mae'r saeth yn dangos taith drwodd

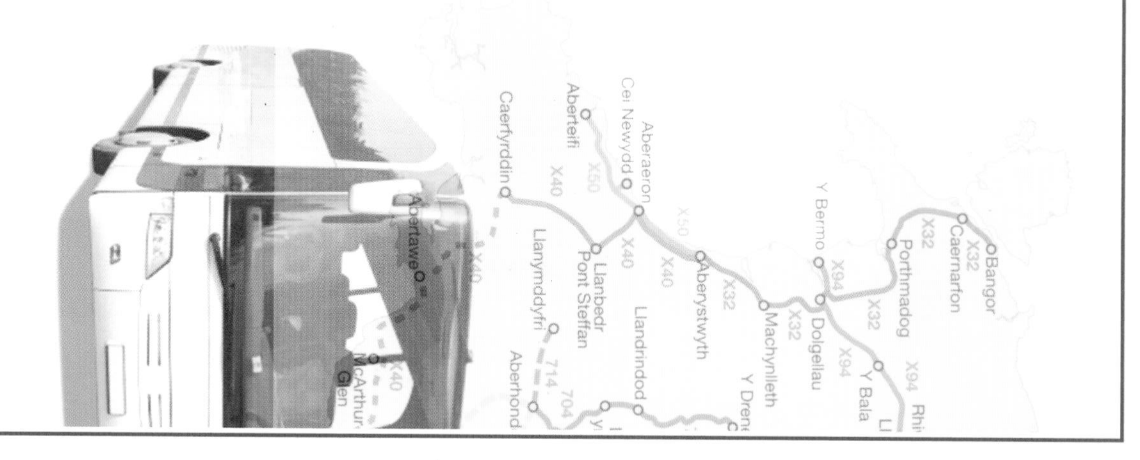

TASG

Rydych chi'n gweithio ar linell gymorth y gwasanaeth bws.

Dyma rai o'r ymholiadau rydych chi'n eu derbyn.

Beth yw'r atebion?

Rydw i eisiau teithio o Aberystwyth i Ddolgellau. Pa docyn fyddai orau ar gyfer y daith?

Roedd y bws o'r Drenewydd i Landrindod yn hwyr ddoe am fod y gyrwyr yn cael sgwrs. Gyda phwy ddylwn i gysylltu i gwyno?

Mae gen i docyn Consesiwn Cymru. Ydy hynny'n golygu y galla' i deithio i unrhyw le heb dalu ceiniog?

Rydw i'n ei chael hi'n anodd i gerdded yn bell ac mae gen i ffon gerdded. A fydda' i'n medru defnyddio gwasanaeth Traws Cambria?

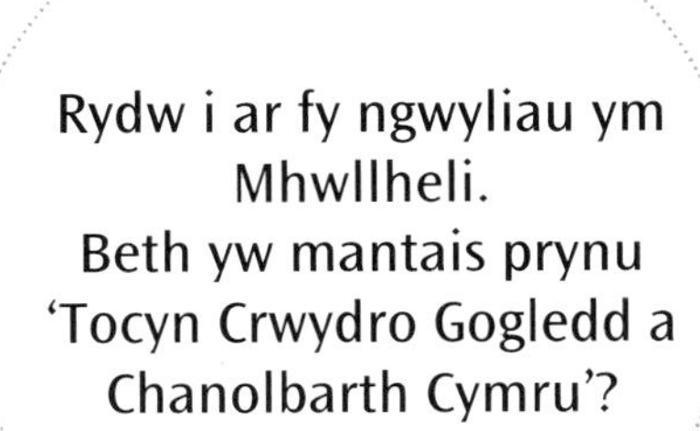

Rydw i ar fy ngwyliau ym Mhwllheli. Beth yw mantais prynu 'Tocyn Crwydro Gogledd a Chanolbarth Cymru'?

Dw i'n byw yn Aberteifi a dw i eisiau mynd i gyfweliad yn Aberystwyth am 11.00 y bore ddydd Iau. Pa fws ddylwn ei ddal a faint fydd e'n gostio?

Rydw i eisiau mynd o Synod Inn i Aberteifi fore dydd Mawrth ar gyfer apwyntiad deintydd am 1.00 y prynhawn. Pa fws fyddai orau i mi?

DATGANIAD I'R WASG

Mae gwasanaeth awyrennau i gysylltu'r gogledd a'r de bellach ar gael.

TASG

Darllenwch y ffeithiau hyn am y gwasanaeth:

- hediad o faes awyr Caerdydd i faes awyr y Fali, Ynys Môn;
- awyren 19 sedd yn hedfan ddwywaith y dydd o ddydd Llun hyd at ddydd Gwener;
- taith o 1 awr a 5 munud;
- costio llai na hanner can punt;
- enw'r gwasanaeth yw 'Gogledd a De';
- Llywodraeth Cynulliad Cymru yn noddi'r gwasanaeth;
- Llywodraeth y Cynulliad yn credu bod gwell cyswllt rhwng y de a'r gogledd yn mynd i wneud lles i fusnes a thwristiaeth yng Nghymru;
- y cyswllt yn ymgais i ddod â Chymru'n nes at ei gilydd.

noddi = rhoi swm o arian i gynnal y gwasanaeth

TASG

Ysgrifennwch ddatganiad i'r wasg ar ran y cwmni sydd yn gyfrifol am y gwasanaeth awyrennau hwn. Mae'r datganiad yn cael ei gyhoeddi i nodi blwyddyn ers cychwyn y gwasanaeth. Dylech nodi'r ffeithiau uchod yn ogystal â nodi barn rhai teithwyr am y gwasanaeth a bwriadau'r cwmni yn y dyfodol.

Beth yw pwrpas datganiad i'r wasg?

Y gynulleidfa yw'r Wasg – mae'r datganiad er mwyn denu diddordeb papurau newydd, radio a theledu yn y stori.

Ffurf datganiad i'r wasg:

- ffeithiau, dim barn;
- iaith ffurfiol;
- berfau amhersonol e.e. cyhoeddir heddiw ...;
- manylion cyswllt ar waelod yr adroddiad.

Mae'r datganiad hwn wedi'i anfon at wasg leol.
Mae'r datganiad yn sôn am siop newydd yn agor yn y dref.

TASG

Darllenwch, ac yna cywirwch y darn.

DATGANIAD IR WASG

Heddyw, mae cwmni newydd spon yn agor ei drysau yn dref Aberfron. Cwmni lleol sy'n agor y siop ac mae gyd o'r cynyrch yn y siop yn dod o Gymry.

Bydd siop 'GWALIA' yn gwerthu bwyd organic a lleol. Nod y siop yw rhoi'r dewis gorai o bwyd i pawb sy'n byw yn yr ardal. Dywedodd y berchennog, Mr. Gwyn Jones;

"Roedd fi eisiau agor siop newidd yn y dref. Mae llawer o pobl yn teithio'n bell i nol bwyd da. Mae cyfle yn y siop 'GWALIA' i nhw prynu pethau lleol am pris da. Rwy'n gobeithio bydd pawb yn cefnogi ni."

Mae oriau agor y siop o 9.00 - 5.00 yn prynhawn, bob dydd heblaw dydd Syl. Mae gwasanaeth siopa ar y we ar gael hefid.

Am mwy o manylion, cysylltwch a:
Mr. Gwyn Jones 07776 567 123

Nodwch brif wallau'r darn hwn:

Cywiriad	Treiglo	Sillafu	Cystrawen

CAERDYDD, PRIFDDINAS CYMRU

Caerdydd

Dyma dri darn sydd wedi'u hysgrifennu am Gaerdydd.

Caerdydd

Wrth hyd a lled y gwledydd
acer o dir yw Caerdydd,
ond mae hi'n gread i mi:
y tyrrau a'r cwteri,
y coed a'r tarmacadam,
yr arcêds a'r llwybrau cam.

cread = lle cafodd y bardd ei greu, byd

Cerddaf yn araf drwy hon,
un wyf a hithau'n afon,
ymlaen, a Chymraeg fy mloedd
ymhlith ei haml ieithoedd
fel ton yng nghythrwfl Taf.
Y mae dinas amdanaf.

cythrwfwl = trafferth

Emyr Lewis

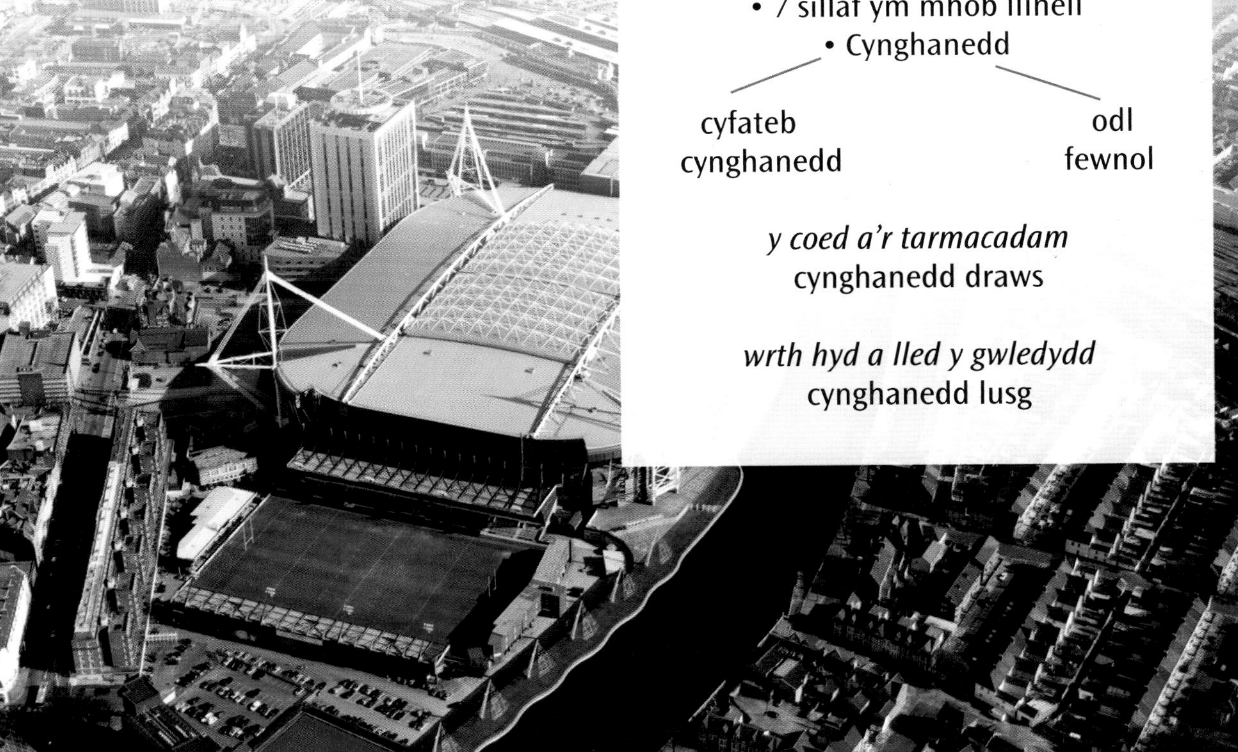

Y CYWYDD

- Perthyn i'r canu caeth
- 7 sillaf ym mhob llinell
- Cynghanedd

cyfateb cynghanedd — odl fewnol

y coed a'r tarmacadam
cynghanedd draws

wrth hyd a lled y gwledydd
cynghanedd lusg

Bae Caerdydd a'r Cynulliad Cenedlaethol

Mae'r Bae yn ddatblygiad glan y môr cyffrous a modern sydd wedi costio dros £220 miliwn. Cewch yma gyfle i fwynhau yn rhai o fwytai gorau'r ddinas. Cewch yma siopau amrywiol sydd yn profi'r ffaith mai Caerdydd yw'r 8fed lle gorau i siopa ym Mhrydain.

Mae'r ardal hon hefyd yn gartref i'r 'Senedd', sef adeilad anhygoel a chartref y Cynulliad Cenedlaethol, lle mae penderfyniadau pwysig Cymru'n cael eu gwneud gan 60 o aelodau sydd yn cael eu hethol bob pedair blynedd.

Agorwyd adeilad y Senedd yn 2006 ar gost o £66 miliwn. Mae'r holl ddeunyddiau yn dod o Gymru, yn llechi, pren a dur. Tu mewn i'r adeilad mae darnau celf gwerthfawr gan artistiaid gorau'r wlad. Dyma gartref teilwng i wleidyddiaeth Cymru.

Canolfan Mileniwm Cymru

Mae gan adeilad y Cynulliad gymydog arbennig iawn hefyd. Agorwyd Canolfan Mileniwm Cymru fel lle i gynnal digwyddiadau y byddai pobl gan amlaf yn gorfod mynd i Lundain i'w gweld – opera, bale a sioeau cerdd. Mae to crwn hynod gan y Ganolfan hon sy'n gwneud yr adeilad yn un hawdd i'w adnabod yn syth. Yna, mewn ffenestri gwydr ceir darn o farddoniaeth gan Gwyneth Lewis; 'Ffwrnais Awen …'

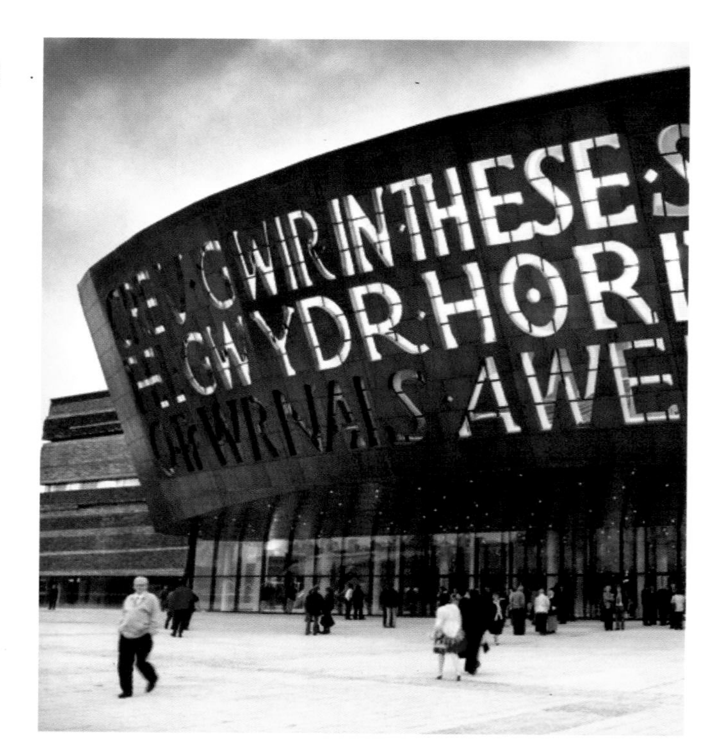

Stadiwm y Mileniwm

'Lle gwell na'r Wembley newydd' yw barn nifer fawr o bobl am Stadiwm y Mileniwm. Adeiladwyd y Stadiwm yn gartref i Gwpan Rygbi'r Byd yn 1999, ac ers hynny mae'r stadiwm 72,000 sedd wedi bod yn llawn yn gyson wrth i gêmau pêl-droed a rygbi a chyngherddau amrywiol gael eu cynnal yno.

Yn y darn hwn mae Alun yn crwydro Caerdydd yng nghwmni ysbryd Paddy. Mae Alun wedi treulio cyfnod yn y carchar, ac mae Caerdydd wedi newid yn ystod ei gyfnod yno.

Ffydd Gobaith Cariad

Mae fflatiau moethus Heol y Crwys i'r chwith, gyda'u golygfeydd godidog o'r mosg briwsionllyd drws nesaf, yn ogystal â fflatiau bregus myfyrwyr Richmond Road ... yn brawf o'r datblygiadau dinesig ...
Mae'r sbwriel yn bla hefyd ... ond y stiwdents sy ar fai, heb os. Dyma'u tiriogaeth nhw wedi'r cyfan, ac maen nhw ym mhobman – yn punks, goths, squares a skaters; rugger buggers, stoners a moshers. Pawb yn cyd-fyw'n hapus gan ruthro o gwmpas Cathays heb fynd i nunlle am o leia tair blynedd ...
Dw i'n digalonni wrth weld Spar newydd yn sgleinio ar gornel Woodville, ond mae fy ffroenau'n llawn rhamant wrth i arogl gwefreiddiol fy nghludo'n ôl i 'mhlentyndod gydag un sniff – Sglods. Ond dim unrhyw hen sglods chwaith, ond sglods yr XL Fish Bar ... Rhaid ildio i'r temtasiwn.
Wedi siario gweddillion fy ngloddest gyda chwpl o golomennod chwantus a gwylan swnllyd, dw i'n gwaredu newyddion ddoe i fin sbwriel cyfagos ac yn mynd i edrych am Paddy. Dw i'n ei ffeindio fe tu hwnt i'r cratiau ffrwythau gwag sy wedi'u parcio'n anghyfreithlon ar y llinellau melyn tu fas i'r Veg Rack, yn sefyll a syllu ar ffenest Glenn Abraham, yr asiantaeth dai, a'r cartrefi sy ar werth o'i flaen. Ymunaf â fe gan wneud yr un peth, a dw i bron â thagu ar yr hyn dw i'n ei weld. Can mil am fflat! Chwarter miliwn am dŷ teras! Ydy cyflogau'r gweithwyr wedi codi ar yr un raddfa, ys gwn i, neu jyst eu dyledion?
Dw i'n dilyn fy nghydymaith i gyfeiriad Witchurch Road – hewl sy wastad wedi 'nrysu i gan nad yw hi'n arwain at yr Eglwys Newydd, nac yn agos ati – gan basio clytwaith o

bregus = *heb fod yn gadarn*

tiriogaeth = *tir, ardal*

tair blynedd = *hyd cwrs gradd prifysgol*

gloddest = *gwledd*

ar yr un raddfa = *codi'r un faint â'r prisiau tai*

clytwaith = *patrwm*

bobl yn cynrychioli amryw o genhedloedd ac osgoi'r bagiau du sy'n coloneiddio'r palmentydd fel morloi ar draethau Sgomer ar ddiwedd dydd.

coloneiddio = perchnogi

...Ymhen canllath, camwn i mewn i Café Calcio ac eistedd wrth gasgliad o ffotos sy'n hongian ar y wal fel marwnad gweledol i Gaerdydd. Mae'r delweddau o sbwriel a gwastraff, realiti'r ddaear gyfoes, yn newid annisgwyl i'r lluniau o'r Ganolfan Ddinesg, y stadiwm neu'r Bae sydd fel arfer yn cynrychioli'r lle. Wrth fyw a bod 'ma, gan weld gwythiennau pydredig y brifddinas – y strydoedd cefn sy'n tagu o dan domenni lludw a'r papurach bwyd-brys sy'n arnofio i lawr y Taf – mae gweld gwirioneddau'n hongian ar wal gyhoeddus yn dod â gwên i fy wyneb.

marwnad gweledol = arddangosfa i rywbeth sy'n marw

gwythiennau pydredig = delwedd o Gaerdydd fel corff a'r gwythiennau yn dechrau stopio pwmpio'r gwaed

Cymharu'r darluniau o Gaerdydd

Rydych wedi darllen y tri darn am Gaerdydd:

- cerdd 'Caerdydd' Emyr Lewis;
- taflen wybodaeth Caerdydd;
- detholiad o 'Ffydd Gobaith Cariad' gan Llwyd Owen.

Gwybodaeth:
ffeithiau, yr hyn sydd go iawn

Agwedd:
cael ei gyfleu yn y modd y mae'r awdur yn dewis a dethol ei eiriau

TASG

Cymharwch y tri darn, gan ganolbwyntio ar yr agweddau hyn:

- yr wybodaeth a roddir am y ddinas;
- agwedd yr awdur tuag at y ddinas.

Wrth gymharu rydyn ni'n:

- tynnu sylw at yr hyn sydd yn debyg yn y darnau, gan weld beth sydd yn gyffredin rhyngddynt;

- tynnu sylw at yr hyn sydd yn wahanol yn y darnau:

  Oes gwahaniaeth ym mwriad yr awduron?
  Oes gwahaniaeth yn yr arddull a ddefnyddir?
  Oes gwahaniaeth yn y gynulleidfa y bwriedir y darnau ar eu cyfer?

- defnyddio cywair iaith benodol ar gyfer y sgil o gymharu:

Y prif debygrwydd rhwng y darnau yw …

Mae agweddau'r darnau yn wahanol tuag at …

Mae'r darnau i gyd yn canolbwyntio ar …

Ar y naill law mae … yn nodi … tra ar y llaw arall mae … yn dweud

Wrth gymharu'r darnau o safbwynt … gwelwn fod …

Mae'r darnau yn gyffredin gan eu bod yn …

Prif fwriad y tri awdur yw i …

Ceir gwahaniaeth yn … y darnau hefyd wrth i …

Cywydd yw'r gerdd hon. Ydych chi'n medru adnabod ambell linell o gynghanedd?

Ga' i ffarm?

Ga'i ffarm ym Metws Garmon
neu un fawr, fawr yn Sir Fôn,
a baw a mwd ymhob man,
teirw, a lot o arian
a thractor wedi torri
yn y cae? Ga'i bymtheg ci?
Ga'i giât sydd wastad ar gau?
Ga'i lanast at bengliniau?

Ga'i stecan gyda 'mhanad?
Ga'i 'fyw'n glos wrth gefen gwlad'?
Ga'i gig Prydeinig i de?
Rhyw asen o gig *Rosé*?
Ga'i ham o fy ngwlad fach gu
fy hunan – ond ga'i fynnu
Toyota i gario'r tatws
a Mŷrc i gario'r mw-mŵs?

llinell gan y Prifardd Dic Jones

Rosé = math arbennig o gig eidion o Ben Llŷn

Ga'i wraig all wneud cacan gri
a jam, gwraig fel mam imi,
i smwddio fy nghap capel,
a'm siwt pan a'i am y sêl?
Ga'i ieir sy'n dysgu gyrru
mewn fan tu allan i'r tŷ,
ci gwallgof heb ei ddofi,
a mab gwirionach na mi?

Y ffarm ym Metws Garmon
a'r un fawr fawr yn Sir Fôn,
eu dyheu mewn breuddwyd wyf,
rhyw adyn o'r dre ydwyf,
un rhy hoff o'i win a'i wres,
y dyn â dwylo dynes,
hanner dyn, dyn hanner dall
na ŵyr yr ochor arall.

dyheu = eisiau'n fawr
adyn = person unig

Meirion Macyntyre Huws

TASG

Trafodwch:

1. Sut ddarlun sydd gan y bardd o fywyd fferm?
2. Pa bethau mae e eisiau?
   Gwnewch restr e.e. baw, mwd.
3. Pam mae'r bardd yn ailadrodd 'Ga' i'?
   Ydy'hyn yn effeithiol? Pam?
4. Ydy'r defnydd o eironi'n effeithiol?
   Pam?
5. Pa fath o ddyn yw'r bardd yn eich barn chi?
   Pam ydych chi'n credu hyn?
6. Beth yw neges y gerdd?
   Sut mae'r bardd yn cyfleu ei neges?
7. Beth, yn eich barn chi, yw ystyr llinellau clo'r gerdd:
   "Hanner dyn, dyn hanner dall
   Na ŵyr yr ochor arall."

EIRONI

Daw Toyota o Japan.

Daw Mercedes o'r Almaen.

Beth felly yw eironi?

Beth yw'ch darlun chi o fywyd a phobl y wlad?

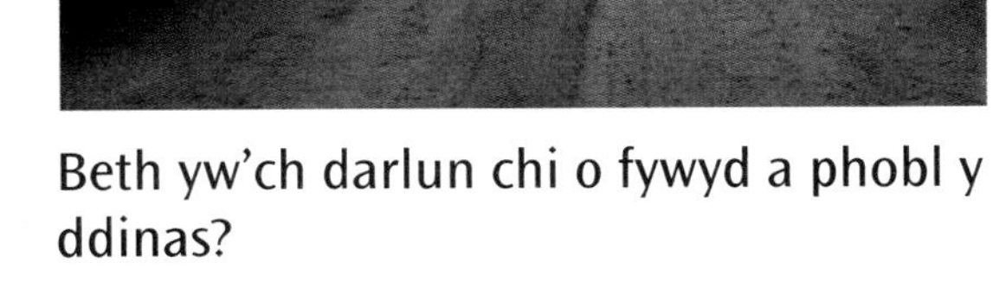

Beth yw'ch darlun chi o fywyd a phobl y ddinas?

Pa fywyd fyddai'n well gennych chi? Pam?

Yn *Sna'm llonydd i ga'l (1)* mae Ifor a'i wraig Marian yn ffermio Corsydd Mawr, gyda chymorth Malcym. Mae Malcym yn gweithio yno fel rhan o gynllun i ddod o hyd i waith – YTS. Does dim llawer o siâp ffermio ar Malcym!

Concrit

Rhoddodd Ifor dro yn ei wely cynnas. 'Doedd dim ond ychydig oria ers pan grafangodd i mewn iddo ...

Am hannar awr wedi saith deffrwyd Ifor gan sŵn rhwbath trwm fel lorri yn dod i fyny'r lôn. Ond mae'n rhaid mai breuddwyd oedd o.

'Ifor, ma'r lorri 'di cyrra'dd!' pwniodd y wraig o yn ei 'senna.

'Lorri ... mmm ...' a throdd Ifor ar ei ochr unwaith eto.

'Y lorri Ready Mix!! Cod!' a rhoddodd bwniad egrach iddo!

Neidiodd Ifor o'i wely ac nid hyd nes iddo weld y lorri wedi bagio'n daclus at giatia'r cowt y cofiodd mai ar gyfar saith o'r gloch y bora hwnnw yr oedd o wedi gofyn am ddau lwyth o Ready Mix i goncritio'r cowt.

'Concritio'r cowt ... o'r diwadd ...' meddyliodd Marian yn braf yn ei gwely a thynnodd y dillad dros ei phen a mynd yn ôl i gysgu.

Roedd hi wedi bod mewn cymaint o wendid ar ôl yr wyna nes y bu'n rhaid iddi ga'l llond cwpwrdd o dabledi haearn a thonics a ffisig i ddŵad ati'i hun.

Damiodd Ifor bawb a phopeth wrth faglu'n wyllt i lawr y grisia. Doedd 'na'm llonydd i' ga'l! Roedd y wraig wedi bod yn swnian yn gyson, ers y deng mlynadd y buodd hi'n byw yng Nghorsydd Mawr, fod angan concritio'r cowt o flaen y tŷ. Roedd hi'n glychu ei thraed wrth fynd i roi dillad ar y lein neu'n troi ei throed ar ryw asgwrn neu yn waeth fyth yn sathru baw ci! Felly, ar benllanw'r swnian, cytunodd Ifor i orchuddio'r ddaear las o flaen y tŷ hefo concrit ... 'doedd ganddo ddim dewis ond gneud hynny. Hynny neu orfod bugeilio'r defaid i gyd ei hun y flwyddyn ganlynol!

Rhoddodd Ifor ei welingtons am ei draed ac agorodd y drws. Aeth allan a baglodd ar draws un o'r prenia lefelu a osodwyd o flaen y tŷ y diwrnod cynt. Sgrialodd trwy ganol y cerrig mân at y lorri.

'Dy ddal di'n dy wely, 'r uffar!' stwffiodd Ned ei grys i mewn i'w drowsus.

'Newydd ddŵad yn ôl i'r tŷ ... Rhyw ddafad yn sâl,' mwmialodd Ifor yn rhyfeddol o gredadwy.

'Ddadlwytha i hwn rwan 'ta, ia, chief?' gofynnodd Ned.

Ond cyn i Ifor gael cyfla i atab y naill ffordd na'r llall roedd o mewn môr o goncrit glyb 'dat ei foga'l ac yn rhwyfo am ei fywyd hefo'i raw. Helpodd Ned o i lefelu'r wynab.

'Fydd y llwyth nesa yma hannar awr 'di wyth. Ocê, chief?' a dringodd Ned yn ôl i mewn i'r lorri i ganlyn ei fol cwrw.

Roedd Ifor yn falch o'i weld o'n mynd er mwyn iddo gael cyfla i eistedd i lawr. Roedd ei gefn yn hollti. Rhoddodd ei raw i bwyso ar wal y tŷ a chymrodd gam at y drws pan sylweddololodd, â'i droed yn yr awyr, mai concrit gwlyb oedd ar y llawr. Achubodd ei hun ac aeth trwy'r drws cefn i'r tŷ. Ond fel yr oedd Ifor ar gyrraedd y gegin trwy'r cefn roedd y plant yn mynd i ddal eu bws mini trwy'r ffrynt. Aeth dau ohonyn nhw dros eu 'sgidia! Damiodd y fam! Chwerthodd y plant gan weld eu hunain wedi eu hanfarwoli yn y concrit. Cysgodd eu tad yn y gadair freichia gan drïo anghofio am y llwyth arall a oedd i gyrraedd ymhen hannar awr.

Cyrhaeddodd yr ail lwyth am hannar awr wedi wyth union, a neidiodd Ifor o'i gadair.

'Lle ddiawl ma'r lembo 'na!' gwylltiodd.

'Doedd y d'wrnod hwn yn ddim gwahanol i 'run d'wrnod arall i Malcym ac yn ôl ei arfar roedd o'n hwyr. A dweud y gwir, roedd Malcym yn gwaethygu yn hytrach na gwella wrth fynd yn ei flaen. Ond cyn dechra dadlwytho'r ail lwyth ar y cowt penderfynodd Marian ei bod hi eisio rhywfaint o ddaear las ar ôl yn y canol wedi'r cwbwl. Un cylch mawr i blannu bloda.

'Fydd rwbath 'di byta nhw! Ti'n dallt hynny 'dwyt!' rhybuddiodd Ifor gan fwytho'i gefn poenus.

Cyrhaeddodd Malcym ar ei foped.

'Os 'na lot i neud heddiw Mustyf Huws?' gofynnodd yn obeithiol, fel tasa fo ddim wedi gweld y lorri o gwbwl!

'Cydia yn y rhaw 'na!' gwaeddodd Ifor ...

Dechreuodd Ned ddadlwytho'r Ready Mix unwaith eto a dechreuodd Ifor, a Malcym ar ôl iddo orffan ei smôc, rawio'r concrit yn wastad dros y cerrig mân o flaen y tŷ.

Dyna pryd y cyrhaeddodd rhyw ddyn gwallt hir mewn siwmper weu gartra, ac mewn car Beatle a hwnnw'n lliwgar gan sdiceri. 'Wnaeth o ddim byd mwy na gwenu, chwara teg iddo fo. Roedd o wedi sylwi fod pawb yn brysur. Ond 'doedd o ddim am fynd o'no 'chwaith. Roedd Ifor bron â chynnig rhaw iddo fo – ar ei gefn! Roedd y lorri yn dal i droi yn swnllyd. Sŵn fel gro yn cael ei droi mewn Kenwood Mixar.

'Concrit o'r diwadd! Dw i 'di disgw'l blynyddoedd am hwn, 'chi,' gwaeddodd Mrs. Huws yn llawan wrth yr hogyn ifanc yr ochr arall i'r giât.

'Fydda i'n meddwl nad oes dim byd tebyg i lystyfiant naturiol fy hun,' mentrodd yr hogyn.

'O, na finna chwaith. Ond dim pan fydda i isio rhoi dillad ar y lein!' chwarddodd Mrs Huws, ar ôl deng mlynadd o wlychu a phoetsio ei thraed.

'Fyddwch chi ddim yn hoffi garddio? Tyfu blodau?' gofynnodd yr hogyn wedyn.

'Byddaf. Ond os na fydd y tywydd yn eu lladd nhw mi fydd 'na rwbath arall ar bedair coes yn siwr o 'neud!' eglurodd Mrs Huws o brofiad.

Seibiant. Edrychodd y ddau ar Ifor a Malcym yn tuchan ac yn rhawio nes y llithrodd y tama'd ola o goncrit i lawr y sglefr o'r lorri.

'Oes ganddoch chi ddiddordeb mewn plannu coed, Mr Huws?' gofynnodd yr hogyn wrth i Ifor orffan rhawio.

'Dim heddiw!' gwaeddodd Ifor wrth sythu'i gefn yn ara.

Ond canodd y ffôn i dynnu sylw a rhedodd Mrs Huws i'w atab drwy'r drws cefn.
'Ifor?' gwaeddodd. 'Cyngor Sir isio chdi eto.'
'Dw i'm yma!' gwylltiodd Ifor.
'Dydi o'm yma, ma'n ddrwg gin i,' atebodd Marian. 'Ta-ta!' A rhoddodd y ffôn i lawr.
Diflannodd Ned i olchi ei lorri hefo dŵr-peipan a diflannodd Malcym i gael smôc. 'Doedd o ddim yn credu y byddai o'n cael gwylia heddiw rywsut, hyd yn oed tasa fo'n gofyn ...
'Mae 'na grant da iawn i'w gael am eu plannu nhw, Mr Huws,' cychwynnodd yr hogyn wrth ddilyn Ifor i'r tŷ.
Cododd Ifor ei glustia.
'Faswn i'n gallu gneud hefo dipyn o goed 'Dolig i sychu Tonnan Fawr – y gors fwya sy 'ma,' meddyliodd Ifor.
'Siwgwr, Mr ...?' gofynnodd Mrs Huws hefo panad o dan drwyn yr hogyn.
'Dim diolch. Lampkin. Cadwraeth Cenedlaethol.'
'Ond mae yna un peth, Mr Huws. 'Da chi'n gweld, mae'n rhaid iddyn nhw fod yn goed – '
'Bambŵ, ma'n siŵr!' rhuthrodd Ifor wrth sugno ei de poeth yn swnllyd.
'Coed collddail. Dim ond wrth blannu coedwigoedd naturiol y cewch chi grant ... Panad flasus iawn Mrs Huws. Diolch yn fawr.'
'Harglwydd Mawr, ti'n gwbod faint 'ma coed derw yn gymryd i dyfu?! Fyddan nhw wedi dyfeisio rwbath yn lle coed cyn y bydd rheiny wedi egino!' gwaeddodd Ifor.
'Mm,' atebodd Lampkin ac ychwanegu: 'a dydyn nhw ddim yn hoffi lle gwlyb iawn ychwaith.'
'Wel, fydd rhaid i mi feddwl am ffor' arall o sychu'r gors 'na felly, bydd washi!'
Pesychodd yr hogyn i'w ddwrn yn gwrtais.
'Falla y medra i eich helpu chi, Mr Huws.' Pesychodd wedyn. 'Dyna pam y dois i yma, a dweud y gwir.'
'Be ti'n feddwl?' gofynnodd Ifor mewn llais ymosodol.
'Mae Tonnan Fawr, fel y sonioch chi amdani gynna, o ddiddordeb neilltuol i ni yn y Gadwraeth.'
'Ond 'does 'na ddiawl o ddim byd yno!' gwaeddodd Ifor. 'Fedra i'm hyd yn oed fynd â JCB yno!'
'Mae yno lysieuaeth brin iawn – '
' – heb sôn am bori'r lle!'
'Ac mae astudiaeth wedi dangos nad yw'r math hwn o lysieuaeth i'w gael yn unlla arall ym Mhrydain.'
'Tipical! Grêt! Gin i ma'r tir mwya corsiog, ciami ar y blydi ynys 'ma!'
'Rydw i'n credu fod ambell aderyn prin iawn yn nythu yno hefyd.'
'Adar prin?! 'Dach chi'n poeni am rhyw blydi adar? Beth amdana fi!! Doro ddeg

mlynadd arall i fi a fi fydd dy 'Endangered Species' di! Blydi ffarmwr fel fi! Sut wyt ti'n disgwl i mi fyw? Ar gorn-blydi-chwiglod a brwyn?! Ma'n iawn ar y Barley Barons 'na'n, dydi, o ydi, yn ca'l chwalu cloddia a gwrychoedd o King's Lynn i'r Prairies! Ma' nhw'n ocê. Ond be' amdana fi yn gorfod baglu yn ganol corsydd, cerrig a chreigia yn fa'ma?! Eh?!'

'... Mr Huws?' pesychodd yr hogyn a llaciodd Ifor ei afa'l yng ngwddw ei siwmper weu! 'Sgynnoch chi ddiddordeb gwerthu?' gofynnodd wedyn.

'Gwerthu? Ti'n sôn am dri chwarter'n ffarm i!'

Cododd yr hogyn ar ei draed a dechra bagio yn ei ôl at y drws.

'A ma' Cyngor Sir isio lledu'r lôn bost trw'r unig chwartar glas sgin i !! A hynny am gnau mwnci!!'

'Wel ...y...gewch chi feddwl am y peth, beth bynnag, Mr Huws – Hwyl rŵan!'

Ac wrth i Lampkin ffarwelio a diflannu trwy ddrws y cefn, sgrialodd yr ast ar ôl rhyw iâr trwy'r cowt a thrwy ganol y concrit gwlyb!

TASG

1. Wedi darllen y stori hon, pa fath o ddarlun a gewch chi o fywyd fferm? Pa eiriau y mae'r awdur yn eu defnyddio i gyfleu'r bywyd hwnnw?

2. Byw bywyd o bleser neu fywyd tan fygythiad a wna Ifor Huws? Pa neges y mae'r awdur yn ceisio'i chyfleu am fyd amaethyddiaeth?

Ymson ffermwr sydd ar fin rhoi'r gorau i ffermio

TASG

Ysgrifennwch ymson y ffermwr sydd yn y llun.

Ystyriwch:

- Beth mae'n ei wneud o ddydd i ddydd?
- Pwy mae e'n ei weld?
- Oes ganddo gwmni neu beidio?
- Ydy e'n mwynhau ffermio?
- Pa fath o gymeriad yw e?
- Sut mae e'n byw?
- A fydd e'n hiraethu? Am beth?
- Beth fydd yn digwydd i'r fferm?
- Pam y mae'n rhoi'r gorau i ffermio?

I ba raddau mae'r cartŵnau hyn yn portreadu bywyd y wlad a bywyd y ddinas yn deg? Pa ddelweddau a ddefnyddir er mwyn cyfleu negeseuon y ddau gartŵn?

BYWYD Y WLAD V Y DREF

"Mae byw yn y wlad yn fwy llesol i chi."

Mae awyr iach a llai o sŵn yn well i'r corff a'r enaid.

Mae cyfraddau trosedd yn is mewn ardaloedd gwledig.

Mae ansawdd bywyd yn well.

Mae pobl y wlad yn adnabod ac yn gwerthfawrogi'i gilydd.

Nid oes swyddi da yng nghefn gwlad.

Rhaid mynd am y dre neu'r ddinas i ennill bywoliaeth dda.

Mae angen mwy na golygfeydd hardd.

Mae eisiau pethau i'w gwneud hefyd.

Mae mwy o bobl ifanc yn siarad Cymraeg yng Nghaerdydd nag yng Nghricieth.

Yn y wlad, mae pawb yn gwybod busnes pawb arall. Gwell gen i'r ddinas, lle gallaf fod yn ddi-enw.

Beth yw'ch barn chi?

Oes gormod o ramantu am fywyd y wlad?

Beth yw realiti byw mewn tref fawr neu ddinas?

YR WYDDFA

Yr Wyddfa yw mynydd uchaf Cymru. Mae'n 3,560 troedfedd o uchder (1085 metr) ac yn un o'r 15 mynydd yn Eryri sydd dros 3,000 troedfedd. Mae'r Wyddfa ym Mharc Cenedlaethol Eryri, a daw miloedd lawer o dwristiaid bob blwyddyn i ddringo neu i fynd ar daith i'r copa ar y trên bach.

Ar ddiwrnod clir iawn mae'n bosib gweld yn bell o gopa'r Wyddfa. Gallwch weld heibio i 14 copa uchaf Cymru i Iwerddon, yr Alban, Ardal y Llynnoedd yn Lloegr ac Ynys Manaw. Mae'n debyg fod modd gweld am 144 milltir o'r Wyddfa tuag at Merrick (De'r Alban) – dyma'r pellter hiraf i'w weld yn ynysoedd Prydain.

Mae'r tywydd ar y copa yn eithafol iawn: 508cm o law bob blwyddyn, tymheredd o rhwng 30°C yn yr haf a -20°C yn y gaeaf a gwynt o hyd at 150 milltir yr awr. Gall fod barrug, rhew ac eira yno o fis Hydref tan fis Mai.

... does neb yn gwybod pwy oedd y dringwr cyntaf i gyrraedd copa'r Wyddfa. Un o'r rhai enwocaf i ddringo'r Wyddfa oedd Syr Edmund Hillary a ddaeth â'i dîm o ddringwyr i ymarfer yno cyn llwyddo i gyrraedd copa Everest am y tro cyntaf. Roedd y Cymro, Charles Evans, yn un o dîm Hillary.

Mae'r degau o filoedd o gerddwyr a dringwyr sy'n mynd am gopa'r Wyddfa yn gallu dewis rhwng nifer o lwybrau. Y llwybr hawsaf yw Llwybr Llanberis, er mai dyma'r llwybr byrraf. Dyma'r llwybr sydd yn cael ei ddefnyddio gan Ras yr Wyddfa. Cynhaliwyd y ras 10 milltir am y tro cyntaf yn 1976 ... Erbyn heddiw mae'r ras yn denu cannoedd o redwyr, a'r amser cyflymaf i gyrraedd y copa yw 39 munud a 47 eiliad. Mae'r ras yn cael ei chydnabod yn un anodd iawn, yn enwedig wrth ddod i lawr y mynydd pan fydd y coesau'n blino a'r traed yn llithro.

Agorodd y rheilffordd i ben yr Wyddfa yn 1896

Ystyr enw'r Wyddfa yw lleoliad ble mae rhywun wedi'i gladdu. Ar gopa'r Wyddfa mae carnedd o gerrig i ryw arwr o'r hen oesoedd.

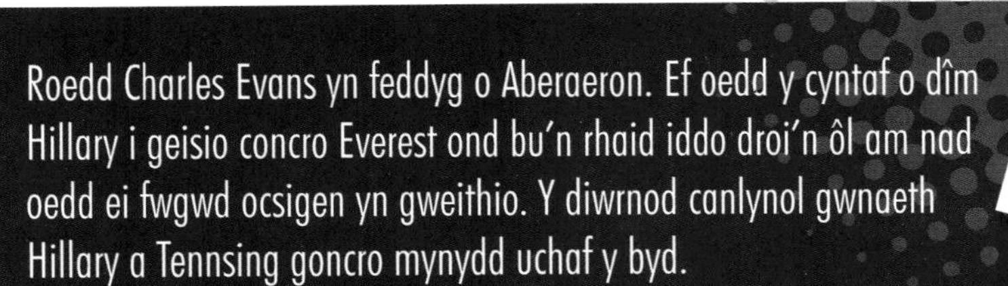

a chostiodd £76,000 i'w hadeiladu. Mae'r trac yn bedair milltir o hyd a'r trenau'n teithio ar gyfartaledd o bum milltir yr awr. Wedi i'r rheilffordd agor roedd modd teithio o Lanberis i'r copa ac yn ôl mewn ychydig dros ddwy awr.

Roedd dau westy'n arfer bod ar gopa'r Wyddfa. Yn 1935 agorwyd adeilad newydd ar gopa'r Wyddfa yn cynnwys caffi, gwesty a gorsaf. Roedd y pensaer wedi cynnwys ffenestri enfawr yn y cynllun er mwyn i bobl allu mwynhau'r olygfa. Ond dinistrwyd y ffenestri hyn mewn tywydd garw a phenderfynwyd rhoi ffenestri llai yn eu lle. Yn ystod yr Ail Ryfel Byd cafodd yr adeilad ei ddefnyddio gan y fyddin i wneud gwaith dirgel fel gwaith radio a datblygu radar. Erbyn canol y 1990au roedd tua 350,000 o bobl yn ymweld â'r caffi bob blwyddyn. Serch hynny, daeth i'r amlwg fod rhaid gwneud rhywbeth. Disgrifiodd y tywysog Charles yr adeilad fel 'y slym uchaf yng Nghymru'. Agorwyd canolfan newydd i ymwelwyr yno yn 2008. Cafodd defnyddiau adeiladu lleol eu defnyddio, er nad yw'r llechi ar y to'n rhai lleol.

Yn y 1990au roedd 4,000 o erwau o'r Wyddfa ar werth ac fe lawnsiodd yr Ymddiriedolaeth Genedlaethol apêl i brynu'r tir. Codwyd dros 4 miliwn o bunnoedd mewn byr amser a chyfrannodd yr actor Syr Anthony Hopkins tua chwarter yr arian ei hunan.

Mae ardal yr Wyddfa yn Warchodfa Natur sy'n cael ei rheoli gan Gyngor Cefn Gwlad Cymru. Mae llawer o flodau ac anifeiliaid prin ar y mynydd a'r enwocaf o'r rhain yw Lili'r Wyddfa. Ar ryw 6 chlogwyn yn unig yn Eryri y mae'n tyfu.

Daeth y botanegydd Edward Llwyd o hyd i'r blodyn yn gyntaf yn 1688. Oherwydd cynhesu byd-eang y gofid yw y gallai Lili'r Wyddfa ddiflannu'n gyfan gwbl wrth i'w chynefin newid. Mae Lili'r Wyddfa'n symbol o'r Wyddfa ei hun. Fel y mae angen amddiffyn y blodyn, felly hefyd mae angen gofalu am y mynydd. Mae'r Wyddfa wedi ysbrydoli cerddwyr a dringwyr, arlunwyr, beirdd ac awduron dros y canrifoedd. Ond i ni ofalu amdani, bydd yn dal i wneud hynny i'r dyfodol.

TASG

Darllenwch y darn am fynydd uchaf Cymru.

Ewch ati i gasglu gwybodaeth gan ddefnyddio'r penawdau isod:

- ffeithiau ac ystadegau;

___

___

___

- teithio i'r copa;

___

___

___

- ar y copa;

___

___

___

- natur.

___

___

___

1. Beth sydd yn eich ysbrydoli chi fwyaf?
Ai'r llun hwn neu'r daflen wybodaeth?
Pam?

Edrychwch ar y cardiau post yma.

CROESO i CYMRU
WELCOME TO WALES
PLEASE DRIVE CAREFULLY

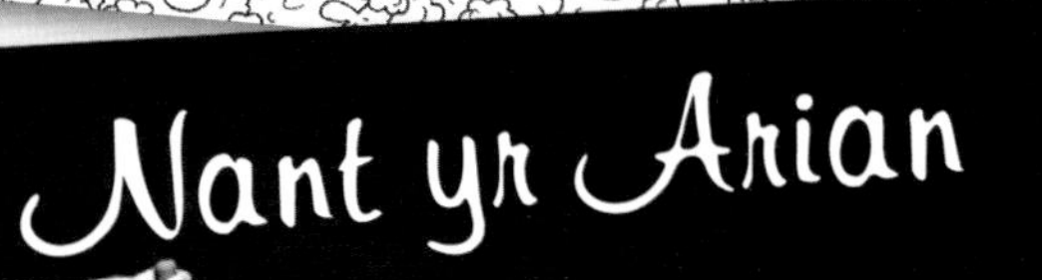

Rhosili

Beth yw'ch barn chi amdanynt?

TASG

Mae eisiau ichi greu ymgyrch farchnata i ddenu ymwelwyr i Gymru.

Nod

Mae eisiau i fwy o bobl o Gymru ymweld â rhannau eraill o Gymru ar wyliau h.y. pobl o Abertawe'n mynd ar eu gwyliau i Ben Llŷn, pobl o Fangor yn mynd i Sir Benfro. Eich cyfrifoldeb chi yw cynhyrchu deunyddiau Cymraeg ar gyfer yr ymgyrch farchnata.

Gofynion

- Poster a slogan i'w gosod mewn papurau newydd;
- sgript i gyd-fynd â hysbyseb deledu yn dangos gwahanol rannau o Gymru (eich dewis chi fydd y lleoliadau).

Cofiwch am y nod a'r gynulleidfa.

Edrychwch ar y cerdyn post isod.

Hunanarfarnu

Beth fydd meini prawf llwyddiant yr ymgyrch?

Trafodwch yr hyn yr ydych chi eisiau llwyddo i'w gynhyrchu o safbwynt:

- cynllun a diwyg;
- gwybodaeth;
- iaith.

TASG

A fyddai hwn yn eich denu i Gymru?
Pam?
Pam lai?

"O bydded i'r heniaith barhau ..."

SGÔR

Mae Siôn ap Gwynfor yn gorfod symud o ogledd Cymru i ardal wledig yn y de gan fod ei dad wedi cael swydd yno. Mae'n cael trafferth setlo yno …

15 Rhagfyr

… Roedd bob dim yn grêt, yn hollol cŵl, nes i Dad gymryd y joban newydd 'ma. Ro'n i'n byw'n ddigon hapus ym Mangor. Roedd gen i griw rafinllyd o ffrindia – wedi bod efo'r rhan fwya ohonyn nhw ers yr ysgol gynradd. Ro'n i wedi dechrau ar y pynciau ro'n i wedi eu dewis ar gyfer TGAU ac roedd bob dim yn mynd yn iawn am mod i wedi cael yr athrawon ro'n i'n eu casáu leia. Ro'n i wedi cael fy newis i chwarae rygbi i ysgolion Gwynedd. Ac yn waeth na dim, ro'n i newydd fagu'r gyts i ofyn i Ceri Hughes fynd allan efo fi, ac yn waeth na hynny hyd yn oed, roedd hi wedi cytuno; a doeddan ni ddim ond wedi bod efo'n gilydd am bythefnos pan ollyngodd Dad y bomshel.

joban = swydd
rafin = gwyllt

"Siôn, dw i wedi cael swydd newydd … "
"O? Llongyfarchiada."
"Yn y de."
"O. De lle?"
"De Cymru … Ac mi fydd raid i ni symud yno – i fyw."
"Y?"

'I fyw' medda fo. 'I farw' fyddai'n nes ati. Dw i'n casáu'r dymp 'ma. Mae o'n ganol blydi nunlla, ac mae pawb yn gneud hwyl am ben fy enw 'Welshie' i (be sy o'i le efo Siôn ap Gwynfor?) a mwy o hwyl fyth am ben fy acen 'gog' i, ond dw i'm yn eu deall nhw chwaith. Wel, mi rydw i go iawn, fedrwch chi'm cael eich magu ar Pobol y Cwm heb ddod i ddeall rhywfaint o iaith y de – ond dw i'n esgus mod i ddim. Jest i'w gwylltio nhw.

gog = gogleddol

Tri mis o notis oedd raid i Dad ei roi yn ei hen swydd, felly tri mis ges i i arfar efo'r syniad o symud. Dw i'n dal heb arfar. Sut mae disgwyl i rywun arfar efo gadael ei fywyd ar ôl? Dw i isio i rywun fy neffro i a deud mai dim ond hunllef oedd o i gyd. Dyla bod 'na gyfraith yn erbyn y peth, yn gorfodi teuluoedd i aros lle maen nhw nes mae'r plant wedi gadael rysgol o leia.

notis = rhybudd

Pan ti'n bymtheg fel fi, ac wedi byw yn yr un lle ar hyd dy oes, tydi o ddim yn jôc. Ti wedi magu gwreiddia, ffrindia, trefn i dy fywyd. Ti'n gwbod pwy wyt ti. Siôn ap Gwynfor o'n i; mêt i Id, Cai, Tycanol a Dyl; cariad Ceri Hughes; canolwr y tîm dan-16. A rŵan, dw i'm yn gwbod pwy ydw i. Dw i'r un fath, debyg iawn, ond yn wahanol hefyd. Fatha chameleon yn newid ei liw yn dibynnu be ydi'i gefndir o. Jest mod i'm wedi gweithio allan pa liw dw i fod eto, felly dwi mewn limbo lliw dŵr golchi llestri. A fi 'di'r cadach llestri'n ei ganol o.

chameleon = *anifail sy'n newid ei liw'n ddibynnol ar ei amgylchiadau.*

Does gen i'm ffrindia yma. Does 'na neb dw i isio bod yn fêts efo nhw p'un bynnag. Wel, tydi hynna ddim yn hollol wir chwaith. Mae 'na un – Teleri. Mae hi wedi bod reit glên efo fi. Mae hi'n yr un dosbarth â fi, a hi ydi'r hogan smartia'n yr ysgol, o bell ffordd. Mae hi chydig bach yn od, wedi strîcio'i gwallt melyn yn biws, ac mae hi'n mwmian canu rownd y rîl – yn ystod gwersi, wrth gerdded ar hyd y cyntedd, wrth fwyta'i chinio. Tydi hi byth yn stopio – mae hi hyd yn oed yn swnio fel tasa hi'n canu pan fydd hi'n siarad. Ond asu, mae ganddi hi lais da. Tlws, ond gytsi ar yr un pryd, a stwff Super Furries a Wheatus mae'n ei ganu fwya – dwi'n meddwl. Anodd deud pan ti'n trio canolbwyntio ar be mae'r athro Cymraeg yn ddeud am y Ddeddf Goddefiad yn *Y Stafell Ddirgel*.

Dw i'm wedi siarad cymaint â hynny efo hi eto, dw i jest wedi siarad mwy efo hi na neb arall. Dw i prin wedi torri gair efo unrhyw un arall yn yr ysgol ...

17 Rhagfyr

Dau ddiwrnod o ysgol sydd ar ôl, diolch byth. Mae 'na griw o Blwyddyn 10 ac 11 yn cael parti Dolig yn rwla nos fory, ond dw i'm wedi cael gwahoddiad. A finna wedi bod yn gneud 'y ngora i drio bod yn gyfeillgar a ffitio mewn – ers deuddydd. Wel ... wnes i'm trio'n galed iawn a bod yn onest. Mi fyswn i taswn i'n gwbod be i neud. Sut mae bod yn gyfeillgar heb wneud prat ohonat ti dy hun? Fedra i'm jest gwenu fel idiot ar bawb, neu mi fyddan nhw'n meddwl mod i wedi mynd yn dw-lal, ac yn galw'r heddlu mewn rhag ofn mod i'n *mass murderer*. Mi allwn i fynd at un o'r 'A-crowd' a dechra siarad efo nhw, ond be fyswn i'n ddeud?

rwla = *rhywle*

dw-lal = *yn ddwl*

Ro'n i'n pendroni dros hyn amser egwyl bore 'ma, wrth esgus sbio ar bosteri yn y cyntedd.
"Meddwl mynd?" holodd rhywun y tu ôl i mi. Teleri.
"Mynd i lle?" medda fi'n ddryslyd.
"Ar y trip sgïo. Ti'n edrych ar y poster 'na ers deg munud o leia."
"Ydw i?" Do'n i ddim hyd yn oed wedi sylwi. A dyna fo, reit o flaen fy nhrwyn i, poster mawr glas yn dweud: Wythnos yn Val d'Isère fis Chwefror. £500. Holwch Mr John (hwnnw eto fyth!) am fanylion pellach.
"Wyt ... " Edrychodd hi arna i am amser hir. Mor hir, ro'n i'n teimlo fy hun yn cochi. "Wyt ti'n oreit, Siôn?" gofynnodd wedyn.
"Fi? Ydw siŵr. Champion."
Chwarddodd. "Chi gogs mor ffyni. Champion ... ?!"
Gwingais. Dw i byth yn deud 'champion'. Pam oedd raid i mi ddeud champion? Weithia, mi fydda i'n teimlo fel waldio fy hun ar fy mhen efo gordd. Neu kneecapio fy hun neu rwbath. Meddylia am rwbath call i'w ddeud, Siôn – ty'd, reit handi – cyn iddi hi fynd.
"Ym ... wyt ti'n meddwl mynd?"
"I lle nawr?"
"Y peth sgïo 'ma."
"Nagw. Sai'n gweld y pwynt o fynd lan mynydd er mwyn dod 'nôl lawr eto. Na, moyn rhoi'r poster 'ma lan o'n i, ond 'sda fi ddim pinne bawd."
Pinne bawd? Be uffar? O ... *drawing pins* oedd hi'n feddwl. Roedd 'na bedwar ohonyn nhw'n dal y poster sgïo i fyny. Mi fyddai dau yn ddigon. Felly mi dynnais ddau allan a'u rhoi iddi.
"Hwda."
Edrychodd yn hurt arna i.
"Beth? Odw i'n edrych yn dost?"
"Y?"
"Sori, beth wedest ti?"
"Fi? Pryd?"
"Jest nawr. Rhywbeth am hwdu?"
"Chwdu?"
"Ie."
"Ddeudis i'm byd am chwdu."

champion = grêt

waldio = bwrw

"Beth wedest ti 'te?"
"Hwda!"
"Wel 'na fe, wedes i on'do fe!"
Asu, mae isio gras weithia. Ond roedd hi'n gwenu'n ddireidus arna i a dw i bron yn siŵr mai jest tynnu arna i oedd hi o'r cychwyn.
"Iawn, mewn Cymraeg rhyngwladol: dyma i ti ddau bin bawd ... "
"Diolch, Siôn." Cymerodd y ddau allan o fy llaw i, a gwenu'n ddel arna i. Asu, mae ganddi hi ddannedd neis.
"Mae gen ti ddannedd neis." Damia, do'n i ddim wedi meddwl ei ddeud o fel'na chwaith. Edrychodd hi hyd yn oed yn fwy hurt arna i.
"Beth wyt ti – ffarmwr neu rywbeth?! Yn edrych arna i fel dafad?"
"Ym, naci, ddim o gwbwl, siŵr. Jest deud, dyna i gyd."
"Wel ... ma fe'n gompliment, on'dyw e?"
"O, yndi."
"Diolch. Mae 'da tithe ddannedd eitha neis hefyd ... "
"O. Diolch. Fydda i'n trio edrych ar eu hola nhw. Glanhau nhw cyn cysgu ac ar ôl brecwast a ballu." O, cau dy geg, Siôn. Ti'n rwdlan.
"Diddorol iawn ... " Roedd hi'n chwerthin ar fy mhen i. Yn gwbod yn iawn mod i'n rwdlan oherwydd mod i'n ei ffansïo hi. Mi benderfynais gau ngheg, ac aeth hi ati i osod y poster.

rwdlan = siarad yn wirion

TASG

Darllenwch y darn a thrafodwch y cwestiynau isod:

- Pam nad oedd Siôn eisiau symud?
- Beth yw ei agwedd tuag at symud i'r de i fyw?
- Cymharwch y ffordd y mae Teleri a Siôn yn siarad.
- Edrychwch ar arddull y darn.
  A oes unrhyw nodweddion arbennig sydd yn gwneud y darn yn fwy darllenadwy ac apelgar? Beth a pham?

TYSTIOLAETH

Mae angen tystiolaeth wrth dynnu casgliadau.
Wrth drafod agwedd Siôn tuag at symud i'r de i fyw bydd rhaid casglu tystiolaeth o'r darn cyn dod i gasgliad.
Pa ffyrdd gwahanol sydd yna o chwilio am dystiolaeth?
Pa ffordd sydd yn well gennych chi?

TASG

Llythyr Siôn

Chi yw Siôn.
Ysgrifennwch lythyr at eich ffrindiau 'nôl yn y gogledd.

Cynllunio

- At bwy yn union ydych chi'n ysgrifennu?
- Beth fyddwch chi'n ei ddweud?
- Pa bethau penodol fyddwch chi'n sôn amdanynt?
  Gallwch gyfeirio at bethau penodol a ddarllenoch ynghyd â chreu rhai pethau'ch hun.

Creu

- Ydych chi'n cofio ffurf llythyr personol?
- Bydd rhaid ysgrifennu fel mai chi yw Siôn – gan ddefnyddio'r person cyntaf.
- Bydd rhaid sôn am ddigwyddiadau a theimladau.
- Bydd eisiau sôn am y gorffennol, y presennol a meddwl am y dyfodol.

Gwerthuso

- Ailddarllenwch eich gwaith gan roi sylw gofalus i bethau penodol:

  - atalnodi a pharagraffu;
  - berfau – person cyntaf:

es i, gwelais i, bydda i

  - berfau – amser gorffennol neu bresennol:

roeddwn i, rydw i, bydda i

  - treiglo ar ôl yr arddodiaid:

am, ar, at, gan, dros, drwy, wrth, dan, heb, hyd, o, i

  - treiglo ar ôl rhagenwau:

fy nheulu, ei wisg ef, ei gwisg hi

Llythyrau

Edrychwch ar y paragraffau amrywiol hyn o wahanol lythyrau.

Oes eisiau eu cywirio? Sut?

Anwyl Helen
Gair bir i dweud wrth ti am fy cartref newydd. Mae'r gret!
Rydw i ddim yn gweld eisiau y cartref heno gwbl – mae hwn yn gwell.
Mae gan fi ystafell mawr iawn gyda lle i teledu, DVD a cyfrifadur. Mae eisiau i ti dod i aros!

Annwyl Peter
Dw i newydd dod nol o fy gwyliau yn Sbaen. Roedd pawn wedi mwynhai mas draw. Roedd y tywidd yn bendigedig ac roedd ni a y traith drwy'r dydd. Aethon ni i parc dŵr arbenig o dda. Roedd Jac a fi wedi cael sbri ond collodd Jac eu wallet.

Annwyl Dadcu
Diolch yn fawr iawn dadcu am yr anrheg penblwydd. Roedd eisiau arian ar fi i mynd i'r coleg. Bydda i'n gwario'r arian ar llyfrau!

Annwyl Syr
Roedd Huw ddim yn yr ysgol ddoe am bod e'n sâl. Mae e nol heddiw ond mae e ddim fod mynd i'r gwers nofio.

Geiriau tafodieithol

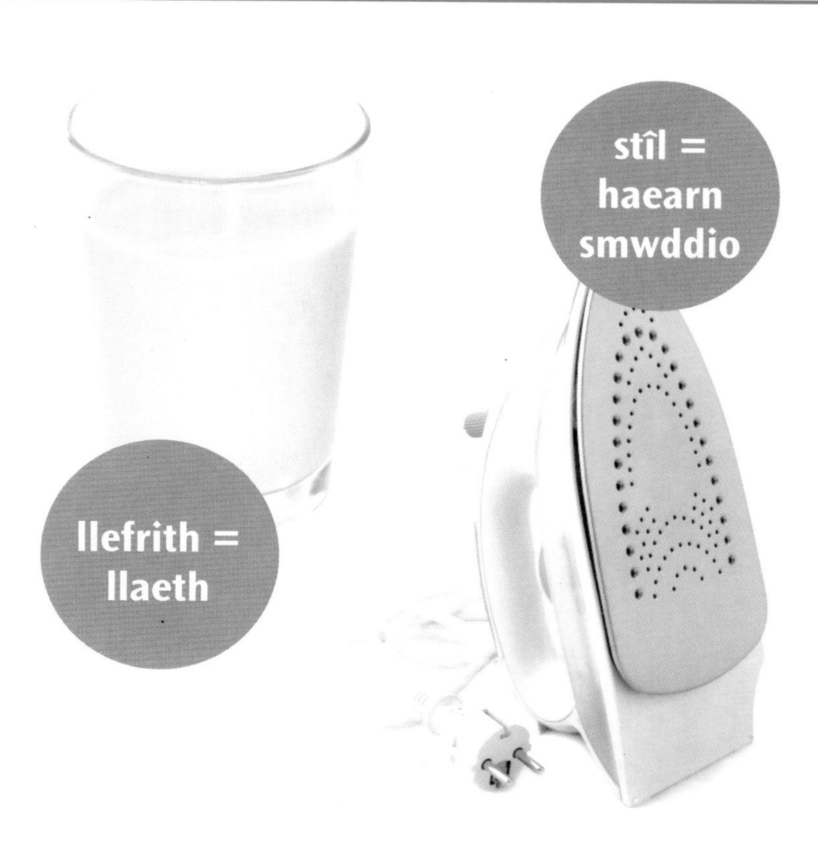

cwilder = **eisiau bwyd**
matryd = **tynnu dillad**
gwitw = **gweddw**
wilia = **siarad/clebran**
wetws = **dywedodd**
nesh = **teimlo oerfel**
bagio = **sefyll ar rywbeth**
bêt = **tamaid o fwyd**
brat = **ffedog**
cog, cogie = **bachgen, bechgyn**
ffalt = **buarth fferm**

fflŵr = **blawd pobi**
hen gogie = **llafnau ifainc**
lodes = **merch**
prifio = **tyfu**
stingoedd = **gwrychoedd**
trigo = **wedi marw**
wtra = **ffordd gul**
roces = **merch**
dwe = **ddoe**
cwêd = **coed**
wêr = **oer**
abwth = **ofn**

'Iaith liwgar ac amrywiol yw tafodiaith sy'n cyfrannu at gyfoeth y Gymraeg' **neu**
'Geiriau dryslyd sy'n golygu dim i neb arall'
Beth yw'ch barn chi?

JABAS

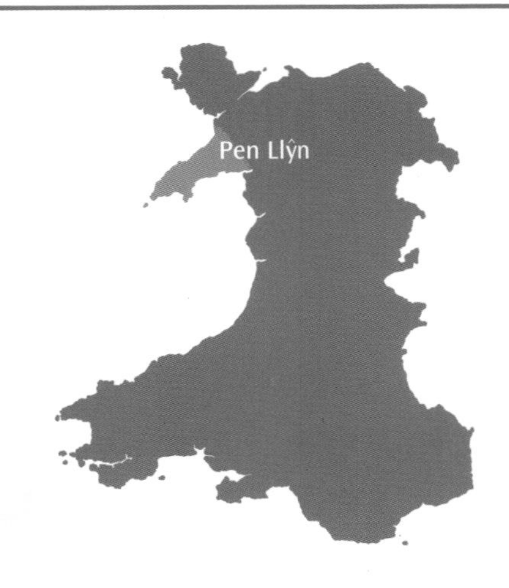

Mae Jabas a'i ffrindiau, Gwil, Picsi a Ieus yn fechyn ifanc sydd yn byw ym Mhen Llŷn. Maen nhw'n cael eu gwahodd i barti crand Saeson sydd newydd symud i'r ardal.

Syrthiodd y rhybuddion ar glustiau byddar. Yn brydlon am chwech roedd Jabas yn chwarae pŵl yn ystafell chwaraeon y Llew. Cyn bo hir ymddangosodd Picsi a Ieus. Roedd Ieus yn rêl sleifar mewn siwt denim olau ond, er ei ymdrech i roi sglein arno fo'i hun, doedd ymddangosiad Picsi fawr gwell. Llowciodd y tri beint o seidar. Roedd lwc bob amser efo Ieus ac enillodd ddwybunt ar y bandit. Toc talodd am rownd arall i'r hogia. Roedd Wmffra'r Llew yn cau un llygad i ychydig o yfed dan oed os byddai'r llafnau'n rhesymol. Onid oedd cyfran dda o'i elw erbyn hyn yn dibynnu ar lafnau ifainc fel y rhain? Mawr oedd y cega ar Gwil am beidio â dŵad. Pan oedden nhw ar fin ei throi hi, ymddangosodd fel huddug i botas.

llafnau = bechgyn ifanc

"Mi oedd rhaid imi odro a charthu i 'Nhad – mi âth hi'n hwyr braidd arna i."

... mab fferm ar gyrion y dref oedd Gwil ac roedd o wedi gwisgo fel petai o'n mynd i fart defaid. Crysbas *tweed* brown amdano, cords tewion llydan a sgidia lledr trymion yn drybola o dail gwartheg.

yn drybola = yn orchudd

Roedd y Tyddyn tua dwy filltir o Lan Morfa. Penderfynodd yr hogia gerdded yno a chymryd tacsi yn ôl os na fyddai rhywun wedi cynnig lifft iddyn nhw ...

Wyth o'r gloch oedd hi arnyn nhw'n cyrraedd y Tyddyn a'r parti erbyn hyn yn amlwg *in full swing*. Doedd y Peytons wedi gwneud fawr o newidiadau i du allan yr hen ffermdy. Trowyd y beudái yn stablau i gyd a gwelid pen ambell geffyl busneslyd yn 'nelu wrth i'r hogia basio. Roedd y lôn a'r buarth yn un stremp a cherddodd Jabas yn bur ofalus rhag poitsio ei sgidia gwynion. Sylwodd fod pwlldoman mawr ar yr ochr isa i'r stablau ac roedd lori wartheg fawr a lori fechan ddu wedi eu parcio yn y

stremp = yn fawlyd

buarth. Roedd nifer o geir go grand wedi eu gadael blith draphlith. Roedd Mrs. Peyton mewn ffrog laes ddu wrth y drws i'w croesawu. Rhoddodd Ieus a Jabas eu cardiau gwahoddiad iddi a cheisiodd Ieus egluro yn ei Saesneg crand fod y ddau arall wedi cael '*invitation by word of mouth*.' Roedd Jabas, Gwl a Picsi yn edmygu Saesneg Ieus. Onid oedd ganddo fo'r twang a'r idiomau iawn bob gafael? Wnaeth Mrs. Peyton ddim achosi mymryn o embaras a derbyniodd eglurhad Ieus yn rasol.

blith draphlith = ar hyd y lle

yn rasol = yn gwrtais

"Popeth yn iawn cariad. *All Jilly's friends are welcome. The young people are through there in the old Tŷ Laeth as they used to call it*. Croeso bechgyn."

Chwarae teg i Mrs Peyton, roedd hi'n dysgu Cymraeg ac roedd hynny wedi agor drysau newydd iddi ymysg crachach yr ardal. Hysiwyd y bechgyn drwodd ganddi i'r hen dŷ llaeth a redai ar hyd talcen y tŷ. Roedd mynedfa wedi ei hagor yn waliau trwchus yr hen dŷ ac roedd hyd yn oed Jabas a'i ffrindiau yn gallu gwerthfawrogi chwaeth dda y lle. Tŷ unllawr oedd o ac adeiladwyd cyntedd allanol wedyn ar hyd wyneb y tŷ gyda drysau yn agor i amrywiol ystafelloedd.

"Bobl bach, mae'r lle 'ma'n grand – dim byd tebyg i'n tŷ ffarm ni," meddai Gwil wedi rhyfeddu.

"Iesgob, mae'n rhaid bod rhedeg *ponies* yn talu'n dda. Joci faswn i'n lecio bod," oedd sylw Picsi.

Meddyliai Jabas fod y lle'n dra gwahanol i'r tŷ cyngor lle roedd o'n byw. Gadawyd slabia llechi glas ar y lloriau a dodrefnwyd y gegin a'r tŷ llaeth â chelfi hen ffasiwn wedi eu crafu'n lân o baent a farnish. Roedd yno bopeth o ddresal i hen gloc wyth niwrnod, a'r cyfan yn briodol i greu awyrgylch cegin fferm Gymreig. Popeth ond y trigolion.

TASG

Themâu

Thema yw llinyn sydd yn rhedeg drwy ddarn o waith. Mae thema'n medru bod yn rhywbeth cyffredinol iawn.
Fydd yr awdur ddim yn dweud yn blwmp ac yn blaen beth yw thema darn o waith, yn hytrach bydd y thema yn rhywbeth a ddaw i'r amlwg wedi darllen y gwaith. Er enghraifft, thema darn a fyddai'n sôn am yr ysgol gynradd fyddai Plentyndod.

- Beth yn eich barn chi yw thema / themâu y darn hwn o gyfrol *Jabas*?
- Oes gan yr awdur neges yn y darn hwn?
- Oes geiriau arbennig sy'n cyfleu'r neges?

1. Ysgrifennwch stori sy'n datblygu thema benodol, e.e. gwrthdaro.

Ysgrifennu stori

Mae angen cynllunio stori'n ofalus cyn cychwyn arni.

LLEOLIAD

- Ble?
- Naws ac awyrgylch y lle.
- Pa mor bwysig yw'r lleoliad?
- Pa eirfa sydd angen i'w ddisgrifio?

DIGWYDDIADAU

- Beth yw'r digwyddiad canolog?
- Pa effaith mae'r digwyddiad yn ei gael ar y cymeriadau?
- Ydy'r digwyddiad yn creu gwrthdaro?
- Ydy'r digwyddiad yn rhan o adeiladwaith y stori?

CYMERIADAU

- Pwy ydyn nhw?
- Pa mor debyg / gwahanol yw'r cymeriadau?
- Ydy'r digwyddiad / profiad yn effeithio ar y cymeriadau?
- Pa ffordd sydd orau i'w darlunio i'r darllenydd?

ADEILADWAITH

- Ydy'r paragraff agoriadol wedi'i saernïo'n ofalus. Ydych chi'n dweud digon ... ond dim gormod?
- Ydy'r digwyddiadau yn esgyn ar uchafbwynt?
- Sut mae'r stori'n cloi?
    - yn dwt ac yn daclus gyda'r llinynnau wedi'u plethu ynghyd?
    - gyda thro annisgwyl yn y gynffon?
    - yn benagored er mwyn i'r darllenydd benderfynu ar ffawd y cymeriadau?

Tsheco

(nos Wener, Talybont)

Tsheco bod 'na dai'n y pentre,
Tsheco'i fod e rhwng y brynie,
Tsheco bod y Patshyn 'dal yn Las;
Mae rhesymau cryfion dros fynd mas.

Patshyn Glas = sgwâr o borfa

Tsheco bod 'na goed ar Allt y Crib,
Gwneud yn siŵr bod dŵr y Leri'n wlyb,
Tsheco bod y Ceulan, ger Bont Fach,
Yn dal i lifo iddi, er pob strach.

Leri = afon leol

Tsheco bod y sêr yn wincio,
Tsheco nad yw'r tir yn sincio
A tsheco bod y polion lampau
Ar y cyfan, yn rhoi golau.

Tsheco bod 'na lwybyr rownd y Bloc,
Tsheco bod 'na lyfrau yn ein sdoc,
Tsheco'n gyffredinol, er ein pechu,
Nad yw'r Saeson eto wedi'n trechu.

yn ein sdoc = y bardd yn berchen ar wasg lyfrau yn Nhal-y-bont

A dyma nhw, yr hen dafarnau,
I groesawu ein rhagfarnau;
Tsheco bod cadeiriau rownd y bwrdd,
Tsheco bod y bois yn dal i gwrdd.

Robat Gruffudd

TASG

Trafodwch

- Beth yw neges y gerdd hon?
  Sut mae'r bardd yn llwyddo i gyfleu'r neges honno?
  Pa eiriau arbennig mae'n eu defnyddio i wneud hyn?

- I ba raddau y mae'r odl yn y gerdd yn cryfhau ei neges?

- Yn eich barn chi, a ydy'r bardd yn defnyddio unrhyw nodweddion arddull penodol er mwyn creu effaith?
  Pa nodweddion yw'r rheiny ac ydyn nhw'n effeithiol neu beidio?

- Cymharwch y darn o 'Jabas' â'r gerdd 'Tsheco'.
  Pa un sydd yn apelio fwyaf atoch a pham?

LLEN MEICRO

Iaith y Farchnad

'I wish they wouldn't do that. It's so rude, apart from the fact that it's so annoying!'

Piti. Roedd y gwerthwyr tai mor awyddus i ganmol y pris a'r golygfeydd, mi wnaethon nhw lwyddo i anghofio sôn, rywsut neu'i gilydd, fod y brodorion yn siarad iaith wahanol. Dim byd i boeni amdano, rhyw dipyn bach o 'local colour' dyna i gyd. Maen nhw'n deall yr iaith fain yn iawn.

'But why don't they speak it, then? Why do they insist on talking about us behind our backs in that ridiculous lilt?'

Hanes. Diwylliant. Hunaniaeth. Pethau nad ydyn nhw'n talu eu cynnwys yn hysbysebion y cylchgronau sglein, Saesneg. A'r gofod yn costio mor ddrud.

'Oh well, no doubt the locals will come round to our way of thinking eventually.'

Gwnân, beryg'.

brodorion = pobl leol yr ardal

iaith fain = Saesneg

Dychwelyd

'Mi faswn i'n taeru'i fod o gymaint ddwywaith â hyn eto 'sti!'

'Be … y pentra?'

'Naci … y tŷ. Ella bod y perchnogion newydd wedi tynnu darn ohono fo i lawr. Meddwl codi estyniad.'

'Titha 'di tyfu dipyn ers hynny, cofia. Mae hi'n ddeg mlynadd ar hugain …'

'Ond tydw i'n cofio'r lle mor glir …'

'Atgof plentyn.'

'Bore oes – tydi petha felly byth yn newid, siŵr.'

'Deud ti.'

'Hola i'r boi 'na yli – mae o'n edrach fel tasa fo'n gwbod ei ffordd o gwmpas … 'Sgiwsiwch fi, fedrwch chi ddeud wrtha i be 'di hanes Tŷ'n Ffridd erbyn hyn?'

'Tin Fried? Just been sold – another bloody holiday home!'

TASG

Beth yw ergyd y ddwy stori hyn?

Ysgrifennu llên meicro
Darn byr iawn o ysgrifennu yw llên meicro, fel mae'r gair yn ei awgrymu. Gan amlaf, dydy stori feicro'n ddim mwy na rhyw 250 o eiriau. Darnau cynnil ydyn nhw sydd yn rhoi'r chwydd-wydr ar ryw sefyllfa neu berson arbennig a hynny am gyfnod byr o amser. Yn aml mae stori feicro'n awgrymu rhywbeth yn hytrach na'i ddisgrifio'n llawn.

Edrychwch ar y ddwy stori feicro gan yr un awdures, Annes Glynn.

Cymharwch y ddwy stori:

Iaith y Farchnad		Dychwelyd
	cynnwys	
	neges	
	arddull	

Yn eich barn chi, pa stori sydd fwyaf trawiadol? Pam?

TASG

1. Ysgrifennwch stori feicro'n ymwneud â gwrthdaro.

   Cofiwch mai ysgrifennu'n gynnil ac awgrymog yw'r nod.
   Rhaid i bob gair ennill ei le, does dim lle mewn stori feicro i wastraff!

2. Darllenwch straeon meicro weddill y dosbarth.
   Pa rai oedd orau? Pam?

Mike Parker, awdur *'Neighbours from Hell?'*

"A ddylai'r Gymraeg gael bod yn unig iaith Cymru mewn rhai achosion amlwg? Mae 'na arwydd ar yr M4 sydd yn fy ngwylltio'n llwyr, arwydd sy'n pwyntio at 'Parc Margam Park'. Beth am fentro, a chymryd yn ganiataol y byddai siaradwyr Saesneg yn medru dod i ben â deall ystyr Parc Margam."

Mike Parker

A.N Wilson (hanesydd a newyddiadurwr)

"Dydy'r Cymry ddim wedi gwneud unrhyw gyfraniad sylweddol i unrhyw elfen o wybodaeth, diwylliant nac adloniant. Does ganddyn nhw ddim pensaernïaeth, dim traddodiad o fwyd da a dim 'chwaith llenyddiaeth sy'n haeddu unrhyw sylw ..."

Deddfau Uno 1536 a 1543

"Ni fydd unrhyw berson sy'n defnyddio'r iaith Gymraeg yn cael ystâd, swydd nac arian yn Lloegr na Chymru ... hyd nes iddynt ddefnyddio'r iaith Saesneg."

JRR Tolkien, *Lord of the Rings*

"Mae Cymru o'r ddaear hon, o'r ynys hon, iaith hynaf dynion gwledydd Prydain; ac mae'r Gymraeg yn brydferth."

JRR Tolkien

Ioan Bowen Rees

"Rydym ni'n magu'n plant yn siaradwyr Cymraeg nid er lles yr iaith, ond er lles ein plant."

R.J. Derfel

"Ein hiaith sydd yn ein cadw ni'n genedl wahanol, ac am hynny mae'n rhesymol i ninnau gadw ein hiaith."

TASG

Gyda phwy ydych chi'n cytuno a pham?

MAP

Mae'r peth yn ddefod ers tro byd bellach. Mi fydda i'n mynd draw at ddrôr y dresal a thynnu'r map allan a'i osod o ar y bwrdd. Bob bora adag panad ddeg. Ac wedyn gadael i fy llygaid grwydro drosto fo; yr un ffordd bob tro, o'r mynydd i lawr i'r pentra.

defod = arfer

Fedra i ddim esbonio'r gyfaradd, pam fod 'na deimlad cynnas braf yn lledu trwy 'ngwythienna fi wrth ddilyn y llinella main oren neu neidio efo'r nentydd gleision i lawr y llethra, cyn oedi mymryn mewn rhyw gilfach glir. A'r caea hefyd, yn batrwm twt fel petaen nhw wedi bod felly erioed yn ffitio'n daclus i'w gilydd.

cyfaredd = hud

Ar ôl y ddamwain y dechreuis i, a'r hen benglinia 'ma wedi mynd yn rhy glonciog at ddefnydd go iawn, heblaw am ryw shyntio rhwng y parlwr a'r gegin. Finna wedi arfer bod wrth fy modd yn cerddad, nid i ryw fynyddoedd pell fel pobl ifanc, ond ar hyd yr hen lefydd cyfarwydd.

clonciog = stiff
shyntio = symud yn araf

Hyd yn oed wedyn, er bod sawl blwyddyn wedi treiglo ers hynny, mi fyddwn i'n medru mynd yno eto, trwy gyfrwng y map. Y ffurfia a'r symbola ar y papur – er mor ddienaid ydyn nhw – yn troi'n llefydd go iawn ac yn codi oddi ar y bwrdd i greu byd o 'nghwmpas i. Mi fyddwn i hyd yn oed yn clywed y syna, gwich sgrech y coed fel llafn yn torri rhisgl a sguthan yn canu grwndi'n felys ar fora braf. Weithiau mi fyddai 'na sŵn pobl.

sguthan = aderyn

Dyna pam fod y misoedd d'wytha 'ma wedi bod yn gymint o sgytwad. Go drapia'r peth; mae o'n fy nrysu fi'n lân, ond na, feiddia i ddim sôn wrth neb rhag ofn iddyn nhw feddwl fy mod i'n colli 'ngafael. Dyna o'n innau'n ei amau ar y dechra hefyd ond ma' 'na fwy iddi na hynny, llawar mwy.

colli 'ngafael = colli'i feddwl

Mi fydda dagra yn fy llygid i reit amal wrth daro ar ryw le neu lecyn. Am eu bod nhw'n deffro rhyw atgofion neu deimlad a'r rheiny weithia yn hollol annelwig, ond yr un mor fyw er hynny. Weithia doedd dim ond angan gweld enw a theimlo'i sŵn o ar dafod y cof. Mi fyddai'r dagrau'n dod yr adeg honno hefyd, fel haenan o agar dros ffenast. Ond nid dyna sy'n fy nallu fi bellach.

annelwig = *heb fod yn glir*

ager = *stêm*

Dim ond yn ddiweddar y dechreuodd petha fynd o chwith, a finna'n rhyw ama mai'r hen olwg oedd yn bygwth methu. Rhwbath i'w ddisgwyl reit siŵr. A finna'n trio peidio cymryd sylw, na chyfadda i fi fy hun fod un dim o'i le. Ac, eto, mi fedra i weld popath yn yr hen dŷ yma – ma' fisitors yn synnu fy ngweld i cystal – ac mi fedra i edrach trwy'r ffenast fach a gweld y tai newydd ar ochr arall y dyffryn.

Dyna pam y dechreuis ama fod rhwbath mwy ar waith, rhwbath na fedrwn i mo'i esbonio. Yn lle plesar ac edrach ymlaen wrth godi o'r hen gadair 'ma i fynd am y dresal, mi ddaeth'na ofn. Mi ddechreuis gydio yn handlen y ddrôr fel tasa hi'n farwor byw, ac, eto, rhwsut, fel dyn yn mynd am gyffur … mi fûm i yno am hydoedd a'r hen law 'ma'n crynu. Oedd ei symudiad hi yn union fel y cudyll coch y byddwn i'n ei weld dan Glogwyn Henbant a'i adenydd o'n siglo mor gyflym fel mai synhwyro'r symudiad oeddwn i, nid ei weld. Ond ofn oedd fy nghryndod i, er 'mod i'n gwybod fod rhaid mentro.

hydoedd = *amser hir*
cudyll coch = *aderyn urddasol*

Sgin i ddim co'n union pryd y dechreuodd y diffyg, chwaith; wnes i ddim nodyn o'r peth yn yr hen lyfr cownt na chymryd gormod o sylw am y diwrnod neu ddau cyntaf, dim ond rhoi'r bai ar y gola neu gymryd fod yr haul drwy'r ffenast fach yn taro'n chwithig ar draws y papur. Ond o ddiwrnod i ddiwrnod, o wsos i wsos, mi ddechreuis i feddwl fod 'na rwbath cythreulig ar waith. A dyna ydi'r gair. Fydda i ddim yn defnyddio petha fel 'na'n ysgafn – hen ffasiwn eto siŵr o fod – ond sut arall ma' esbonio'r peth?

hen lyfr cownt = *llyfr nodiadau*

chwithig = *lletchwith*
cythreulig = *drwg*

Enwa'r mynyddoedd aeth gynta. Agor y map a smwddio tros y rhycha a chwilio am y llythrenna cyfarwydd. Bron nad o'n i ddim yn darllan y geiria erbyn hynny; roedd y cwbwl mor gyfarwydd. Awgrym oedd y llythrenna, proc i'r hen go', dyna i gyd; gweld eu siâp nhw, a gwybod be oedd pob enw. Y dwrnod cynta, chwilio am Cefn Coch yr o'n i a methu'n lân â'i weld o. A finna wedi bwriadu gweld rhyw gylfinir neu ddwy a chlywad sŵn eu hiraeth nhw ar y gwynt. Rhyfadd ydi'r ffordd y mae'r synhwyra'n cymysgu; mi fyddwn i wastad yn gweld eu cri nhw fel rhaff hir, hir yn cael ei daflu tros ymyl dibyn i rywun mewn trybini.

cylfinir = aderyn

Y Foel Arw oedd nesa, y dwrnod wedyn. Oedd y llinellau oren yno o hyd, yn dynn at ei gilydd lle'r oedd y llethrau ucha'n cipio'ch gwynt chi, ac oedd y symbol trionglog yn dal yno lle mae'r peth mesur hwnnw ar y copa. Ond fedrwn i ddim yn lân â gweld yr enw. Nid 'mod i angen yr enw, siŵr iawn, ond yno y dylia fo fod.

Y Foel Arw = mynydd arbennig

Mi aeth enwau'r Graig Lefn a Chribor a'r gweddill wedyn, o ddwrnod i ddwrnod, nes 'mod i yn y diwadd yn ymbalfalu tros y papur fel dyn dall. Panic oedd o, am wn i, fel tasa colli'r enw yn golygu colli'r peth a finna'n poeni y baswn i, o dipyn i beth, yn colli nabod ar p'run oedd p'run ac yn colli fy llwybra trwy'r eithin a'r clympia grug.

Erbyn hynny, wrth reswm, mi r'on i'n gwybod yn iawn fod mwy na fy llygid i ar fai. Roedd enwau'r llethrau a'r ffriddoedd wedi dechra diflannu fesul un ac un ac wedyn fesul dau a dau. Diflannu, mynd, a dim byd ar y map i ddangos ble buon nhw. Mi fasa'r hen bobl wedi rhoi'r bai ar y tylwyth teg, ond tydw i ddim yn credu yn y rheiny.

Mi fyddwn i'n mynd i'r drôr, yn teimlo'r map yn ei le yn y gornal bella a'i dynnu fo allan, yn dyner, yn union fel arfar. Ei handlo fo'n ofalus, fel taswn i'n ofni fod yr enwa am ddisgyn allan. Troi a thri cam at y bwrdd, a'i agor o, fel pob dwrnod arall, i fyny i ddechrau, allan i'r chwith wedyn ac, yn ola, ei festyn o i'w faint tros yr oelcloth.

oelcloth = lliain bwrdd

Ond, waeth pa mor ofalus o'n i, oedd yr enwa'n dal i ddiflannu. Mi fyddwn i'n oedi'n hirach a hirach cyn agor yr hen beth ond yn dal i fethu peidio. Ymhen ychydig, wrth gwrs, mi ddigwyddodd yr hyn yr o'n i'n ei ofni. Mi ddechreuoedd y llinella a'r symbola bylu hefyd. O ddydd i ddydd, oedd y cylchoedd oren yn llai a llai amlwg, fel y cryndod bach ar ôl taflu carreg yn marw ar wyneb pwll, neu rycha'r tonnau mewn tywod yn cael eu gwastatáu gin y gwynt. Mi fyddwn i'n mynd â fy mysadd trostyn nhw, ond cilio yr oeddan nhw o ddydd i ddydd.

gwastatáu = troi'n llyfn

Tydw i ddim yn credu mewn ysbrydion a petha felly chwaith. Ma' 'na ryw esboniad trostyn nhw reit siŵr, yn union fel yr oedd hen chwedla'n cynnwys rhyw hen hen wirionadd. Fel yr hen bobl yn deud am Lyn Crawia nad oedd neb wedi gweld ei waelod o a'i fod o'n llyncu plant bach. Ffordd giwt o'n cadw ni draw, dyna i gyd, a'r stori'n well na rhybudd . . .

ffordd giwt = ffordd gyfrwys

Ond mae Llyn Crawia wedi mynd erbyn heddiw; oddi ar y map. A Tyddyn Llethr hefyd. Mi deimlis i chwithdod mawr pan welis i fwlch lle'r oedd hwnnw.

Erbyn hyn, nid chwilio am yr enwa sydd yno fydda i, ond am y rhai sydd wedi diflannu. Bob bore, mi fydda i'n agor y map gan wybod y bydd rhagor wedi mynd. I le dwn i ddim. Mi fues i'n ddigon gwirion un bore i roi fy llaw ym mhen pella'r drôr i neud yn siŵr nad oedd y llythrenna'n un pentwr yn fanno, wedi casglu fel llwch yn y gongol.

yn y gongol = yn y gornel

Taswn i'n credu yn y petha arallfydol 'ma, mi faswn i'n taeru fod 'na felltith ar y tŷ, neu arna i fy hun. Dw i wedi troi 'meddwl yn ôl i gofio be wnes i o'i le, be oedd yn ddigon drwg i haeddu cael fy mhoeni fel'ma. Mi fydda 'na straeon am betha felly hefyd, am anifeiliaid yn diflannu, neu hyd yn oed blant, yn gosb ar berchnogion a rhieni. Rheiny fydda Mam yn eu hadrodd wrth y tân erstalwm a finna'n hanner coelio hanner chwerthin ac yn aros yn effro'r nos. Dw i'n trio peidio meddwl mai rhwbeth felly sy'n digwydd a finna wedi trio byw yn reit agos at fy lle.

coelio = credu

Mynd yn arafach y bydd y clytia coed, a'r pyllau bach sydd fel llygid, a'r llunia brwyn sy'n dangos lle mae'r corsydd a'r siglenni a'r mawnogydd. Cilio fyddan nhw, mewn gwirionedd, yr inc fel tasa fo'n mynd yn wannach a gwannach, fel rhywun yn cerdded tros drum yn y pelltar a mynd yn llai a llai.

tros drum = llethr

Amball dro, mae un o'r cymdogion wedi dod i mewn a finna yn fy mhlyg tros y map. Trio'i guddio fo fydda i wedyn a chymryd arna nad oes dim byd o'i le. Dw i ddim yn meddwl eu bod nhw wedi fy ngweld i yn fy nryswch a, beth bynnag, ma'r hen ffrindia wedi arfer gweld y ddalan fawr yn gorad ar y bwrdd. Does 'na neb wedi deud dim am yr enwau, ond falla na wnaethon nhw ddim sbio'n iawn, dim ond taro cip heb weld, fel y byddwch chi efo petha cyfarwydd.

Y ddynas drws nesa ydi'r unig un yr ydw i'n sicr ei bod hi wedi gweld. Chwara teg, peth fach ddiarth ydi hi, wedi symud yno ryw flwyddyn neu ddwy yn ôl bellach, ond ma' hi'n galw yma ryw ben bob wsos i weld a ydw i'n iawn. Mi ddaeth hi fewn y diwrnod o'r blaen a finna'n mynd trwy fy mhethau ac mi edrychodd hi'n syth ar y map; fedra hi ddim peidio â gweld. Ond un feddylgar ydi hi, chwara teg, a chymrodd hi ddim arni o gwbl ei bod hi'n sylwi fod ei hannar o'n wag.

Dw i wedi meddwl tynnu sylw un neu ddau o'r teulu, ond chwerthin fysan nhw. Saff i chi. Ac ma' meddwl am drafod yr hen beth a gorfod chwilio am atab i'r benblath yn dechra fy aniddigo fi trwydda. Dw i fel taswn i ar biga'r drain o fora gwyn tan nos. Roedd y map yn y dresal yn bwysig cynt, ond mae o ganwaith pwysicach bellach.

aniddigo = cyffroi

Oedd colli'r Fridd Isa yn waeth na dim. Ma' 'na amball i le sy'n arbennig. Mi fuodd bron i mi roi'r gorau iddi ar ôl hynny, ond mynd yn ôl wnes i bora wedyn, ar fy ngwaetha, fel erioed. A gweld fod yr Allt wedi mynd, a'r Odyn a Rhos Bach. Yn y diwadd, o un llecyn i'r llall, does yna ddim ar ôl ond y papur.

Mae'r aflwydd bron â chyrradd y pentra erbyn hyn. Mi fydda i'n rhoi'r gora i edrych radag honno. Pan fydd o bron â chyrradd y tŷ 'ma.

aflwydd = salwch

Ella y dylwn i losgi'r map cyn hynny, beth bynnag, rhag i'r felltith fyw ar fy ôl i. Faswn i ddim isio i neb arall ddiodda.

TASG

Trafod y stori 'Map' gan Dylan Iorwerth.

1. Pam y mae'r prif gymeriad wedi cychwyn ar yr arfer o edrych ar y map?

2. Pa fath o fywyd, yn eich barn chi, sydd gan y prif gymeriad? Ai dyn neu fenyw ydyw? Pam ydych chi o'r farn hon?

3. Beth yw rhwystredigaeth y prif gymeriad? Sut mae'r awdur yn cyfleu'r rhwystredigaeth hwn?

4. Trafodwch symbolaeth y map. Ydy'r symbolaeth yn effeithiol neu beidio?

5. Mae adeiladwaith cadarn iawn i'r stori hon.
   Beth, yn eich barn chi, yw'r prif gamau yn y stori?
   Defnyddiwch siart lif er mwyn dilyn y camau hyn.

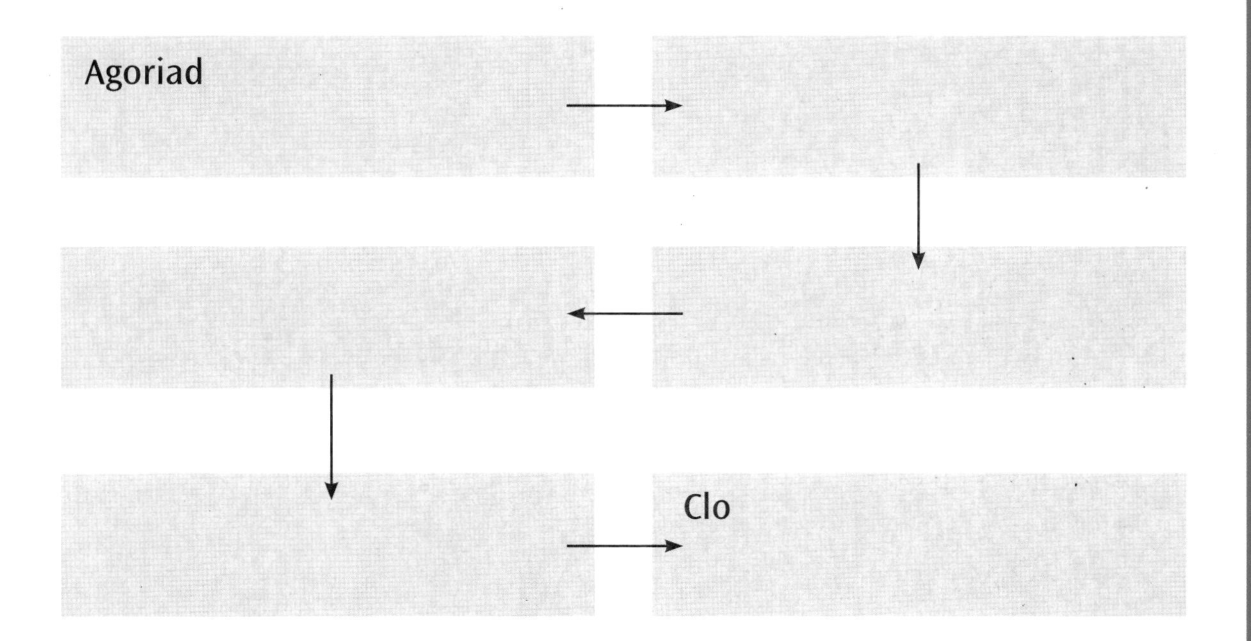

6. Beth yw'ch barn chi am arddull y stori hon?
   Sut mae'r awdur yn defnyddio iaith i bwrpasau arbennig?

'Dyma chi!' Sodrodd Harri ddau beint o flaen Sam Preis a John Wil ac aeth yn ôl at y bar i nôl dau arall.

'Iechyd da, Harri!' Cododd John Wil y peint llawn i'w geg cyn gorffen yr hen un. 'Fydd o ddim yn dwad yn y pnawn rŵan, Robin. Wedi cael job.'

'O?'.

'Dreifio.'

'O?'

'Ia, dreifio i'r *United*.'

Ymhen hir a hwyr deallodd Robin mai efo cwmni newydd Saeson Dôl-haidd a Chae'r Person yr oedd Jeff wedi cael gwaith.

'Diawliaid!' Er mai chwyrnu'r gair o dan ei wynt a wnaeth, roedd y lleill wedi clywed.

'Pam 'lly?'

'Pam? Sbiwch be uffar ma'n nhw'n neud i'r Cwm 'ma. Ylwch y llwch a'r ... a'r ... a'r llanast yn yr afon.'

'Ond ma'n nhw'n rhoi gwaith, boi bach! Gwaith i'r *locals*!'

'I'r blydi cochyn 'na? Sais ydi hwnnw hefyd!'

'Digon da i drwsio dy dractor di, hefyd! Am ddim yn ôl pob sôn!' Synhwyrai Sam ei fod wedi troedio tir go feiddgar.

Drachtiodd Robin yn ffyrnig o'i beint gan roi cyfle i'r cwrw oeri'r gwaed oedd yn codi i'w ben.

Gwelodd Harri'r arwyddion. Gwell troi'r stori. 'Gyda llaw, Robin, ma' gen i asgwrn i'w grafu efo ti.'

'O?' Dig a mulaidd.

'Oes. Sôn am Saeson, mi ddoth 'na Sais i fyny acw gynna. Isio prynu tir gen i, medda fo.'

'Pwy oedd o, Harri?' Sam Preis a John Wil yn glustiau i gyd.

'Newydd ddallt mai fi bia'r tir rhwng y ffordd a'r afon. Rhywsut neu'i gilydd roedd o wedi cael y syniad mai Robin 'ma oedd bia fo ac nad oedd o ar werth.'

Dal i blygu'n fustlaidd uwch gwaddod ei gwrw a wnâi Robin. Gwyddai'n awr pwy oedd biau'r car a welsai cyn cinio ar ffordd y Cwm.

'Mr Davidson ydi'i enw fo. Mr George Davidson. Dyn busnas o Wolverhampton. Fo sy 'di prynu'r hen gapal.'

'O, *The Haven*.' Y postmon eisiau dangos ei wybodaeth.

'Gilgal,' meddai Robin yn swrth.

'Ia. Hen foi clên. Digon o bres yn ôl pob golwg. Wedi gwirioni efo'r lle. '*The closest I'll get to heaven*,' medda fo. Dallt hi?' Edrychodd Harri'n chwerthinog o un i'r llall ond ni ddôi ymateb, '*Heaven, The Haven*, capal!'

'Wel ia! Clyfar hefyd, i feddwl am gysylltiad fel 'na.'

'Dyna o'n inna'n feddwl hefyd, Sam. Eniwei, i'w ferch mae o wedi prynu'r lle ac isio cael codi stabla ac ati ar y tir yn ymyl. Hi a'r gŵr isio cadw *riding school*.'

'Wel, iawn. Rhwbath newydd i'r hen le 'ma.' John Wil yn gwbl ddidwyll.

'Hy!'

'Hyn'na ddim yn plesio chwaith Robin? Ti'n mynd yn rêl Welsh Nash, choelia i byth!'

'Hen gytia mawr ar lawr Cwm! Ceffyla'n mynd fel lician nhw ar Ros Gutyn a'r Grawcallt. Blydi pobol ddiarth ar draws pob man; nhw a'u Susnag!'

'Waeth iti wynebu'r peth ddim. Mwy o Susneg fydd 'na o hyn ymlaen. Dydi'r Cwm yn ddim gwahanol i unrhyw gwm arall.'

'Cweit reit, John Wil!' ac aeth Sam Preis ymlaen yn bryfoclyd, '*Development*, Robin! Rhaid i'r byd fynd yn 'i flaen.'

'Eniwei,' meddai Harri, a'i lygaid yntau erbyn hyn yn llawn direidi, 'falla na fydd angan hen gytia mawr ar lawr Cwm wedi'r cyfan.'

'Be? Wrthodist ti werthu iddo fe?'

'Ddim yn hollol, Sam, ond mi aeth Mr Davidson a finna i siarad am betha a dwi'n meddwl ... dwi'n meddwl rŵan ... a deud y gwir, dwi'n eitha siŵr'i fod o ... 'i fod o am brynu Llwyn-crwn 'cw'. Roedd Harri yn amlwg uwchben ei ddigon ac yn methu â chuddio'i orfoledd.

'Y ffarm i gyd?'

'Ia.'

... Tra âi'r sgwrs yn ei blaen roedd Robin yn rhythu'n anghrediniol ar ei gymydog.

'Lle'r ei di i fyw, Harri?'

'Duwc annwyl, Sam, dydw i ddim wedi cael amsar i styriad petha fel 'na eto. Pwy ŵyr? Hirfryn falla, ne 'w'rach y pentra 'ma.'

TASG

Cymharu 'Map' â 'Yn y Gwaed'.

Mae'r ddau ddarn yn ymwneud â Chymreictod.

1. Sut mae'r ddau ddarn yn cyfleu eu neges?
2. Pa elfennau sydd yn debyg rhwng y ddau?
3. Beth yw'r prif wahaniaethau?
4. Pa ddarn sydd fwyaf effeithiol wrth gyflwyno'i neges?
   Pam a sut?

Hi

Hi fy nhrysor, hi'r orau,
hi a wna im lawenhau;
a hi yw'r digri a'r dwys,
hi ydyw fy mharadwys.
Hi yw alaw fy awen,
nid yw'n oer er 'bod hi'n hen.

Mi a roes iddi groeso,
a hithau'r un yn ei thro;
hi yw'r heulwen uwchben byd
o helynt, hi yw 'ngolud.
Fe'i huliais ar fy aelwyd,
hi yw y maeth sy'n fy mwyd.

Aeth hon drwy'r holl wythiennau,
hi yw'r gwaed sydd yn gwau
ac yn cynnal y galon;
mae rhyw ias yn mynd drwy 'mron
oherwydd bod grym geiriau
yn asio'n dwylo ni'n dau.

Yn ei chwmni hi mae'r haf
yn hir, a chilio'n araf
fel siwrnai'r trai ar y traeth
wna heulwen fy modolaeth.
Yn gyson, fy modloni
a wnaeth hon, fy iaith yw hi.

Dai Rees Davies

huliais = *gosod*

TASG

Mae bardd yn creu delwedd pan fydd yn creu darlun arbennig ym meddwl y darllenydd.

Byddai dweud bod 'y machlud yn gwaedu dros y môr' yn ddelwedd, gan ei fod yn creu darlun arbennig.

Mae Dai Rees Davies yn creu llawer iawn o ddelweddau yn y cywydd 'Hi'.

Beth ydyn nhw?

Ai rhywbeth emosiynol yn unig ydy iaith?

Oni fyddai'n haws petai pawb yn y byd yn siarad yr un iaith?

Fel siaradwr Cymraeg, beth yw'ch ymateb chi i'r cartŵn hwn?

"Do you sell very long envelopes? I want to write to my friend in Llanfairpwllgwyngyllgogerychwyrndro bwllllantysiliogogogoch."

www.CartoonStock.com

Ydy hi'n bwysig ein bod ni fel Cymry yn medru chwerthin am ein pennau ein hunain?

Edrychwch ar y poster hwn:

CYMRAEG YN GYNTAF
WELSH – GIVE IT A GO!

Dechreuwch bob sgwrs yn Gymraeg

Am fanylion pellach am ymgyrch 2006, cysylltwch â:

For further details on the 2006 campaign, contact:

029 2087 8000

post@bwrdd-yr-iaith.org.uk • post@welsh-language-board.org.uk

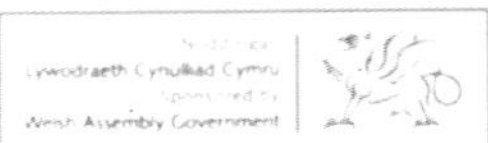

Beth yw bwriad y poster hwn?

Ydy ei neges yn llwyddiannus neu beidio?

A fyddai modd gwella'r poster? Sut?

Mae tua 797,717 o bobl yn siarad Cymraeg yng Nghymru.

Mae 455 o ysgolion cynradd Cymraeg yng Nghymru.
14.8% o ddisgyblion ysgolion uwchradd Cymru sy'n astudio'r Gymraeg fel iaith gyntaf.

Mae S4C wedi creu a darlledu dros 53,000 o raglenni teledu i bobl sy'n dysgu Cymraeg.

Mae 40.8% o bobl ifanc Cymru sydd rhwng 5 a 15 oed yn gallu siarad Cymraeg.

Mae cannoedd ar filoedd o ddysgwyr yn dechrau cyrsiau Cymraeg bob blwyddyn. Ychydig o'r rhain sydd yn gorffen y cyrsiau hynny.

TASG

Trafodwch:

1. A oes dyfodol i'r iaith Gymraeg fel iaith fyw yng Nghymru?
2. Ydy dweud eich bod chi'n 'medru' siarad Cymraeg yn wahanol i ddweud eich bod yn 'defnyddio' Cymraeg bob dydd?

Enillodd Julie MacMillan o Dreorci, y Rhondda, gystadleuaeth Dysgwr y Flwyddyn.

Er nad aeth Julie, sy'n fam i ddau, ddim i ysgol Gymraeg, mae hi a'i theulu yn siarad Cymraeg gartref erbyn hyn.

Dim ond ers tair blynedd mae wedi bod yn dysgu'r iaith.

Ym mis Medi bydd hi'n rhoi'r gorau i'w gwaith fel swyddog trethi ac yn dysgu Cymraeg i oedolion.

Dywedodd ei bod wrth ei bodd ac "nad oedd yn disgwyl ennill".

"Roedden ni'n arfer siarad Saesneg yn y tŷ, ac roedd hi'n anodd newid iaith y tŷ ond nawr ry'n ni'n siarad dim ond Cymraeg."

Cafodd Julie ei henwebu i'r gystadleuaeth gan brifathro Ysgol Gynradd Ynyswen, Treorci, sy'n gwerthfawrogi ei gwaith gwirfoddol hi yn yr ysgol.

TASG

Trafodwch:

- Beth yw'ch barn chi am yr hyn y mae Julie MacMillan wedi'i wneud?
- Ydych chi'n adnabod rhywun sydd wedi dysgu Cymraeg?
- Pam a sut wnaethon nhw ddysgu?

Yn y flwyddyn 2000, roedd 23, 634 o bobl wedi cofrestru ar gyfer dosbarthiadau Cymraeg i oedolion.

Mae'n haws dysgu iaith arall pan ydych chi'n ifanc.

Mae Julie MacMillan wedi gwneud ymdrech aruthrol i ddysgu'r Gymraeg.

Trafodwch:

- Ydyn ni'n gwneud digon o ymdrech i ddenu pobl i ddysgu'r Gymraeg?
- Bob blwyddyn mae miloedd ar filoedd o bobl yn dechrau gwersi nos er mwyn dysgu'r Gymraeg. Ychydig bach iawn o'r rhain sydd yn dod yn rhugl yn y Gymraeg. Pam hyn tybed?

Pe bai ysgolion yn dysgu mwy o Gymraeg, a fyddai angen i gymaint o oedolion gofrestru ar gyfer dosbarthiadau nos?

- Yn ôl rhai, gelyn mwyaf y Gymraeg yw'r bobl sydd yn ei siarad hi. Ym mha ffordd gallai hyn fod yn wir?

Mae gennych gymydog newydd sydd wedi symud i'r ardal.

Rydych chi eisiau perswadio'r cymydog i fynd i wersi nos er mwyn dysgu Cymraeg.

Sut fyddech chi'n ei b/pherswadio heb godi braw arno ef neu hi?

Pa ddadleuon a fyddai'n cymell y person i ddysgu Cymraeg?	Rhaid peidio â bod yn fygythiol – trwy deg y mae llwyddo.	Mae pob dadl yn gryfach os oes ffeithiau yn ei chefnogi.

Cofiwch mai geiriau benywaidd ydy 'iaith' a 'gwlad'.

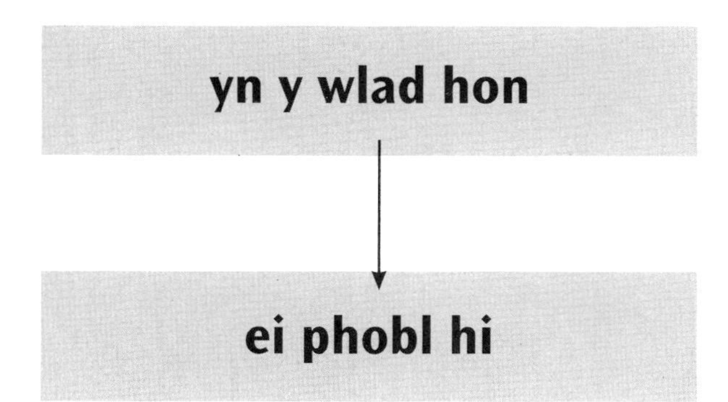

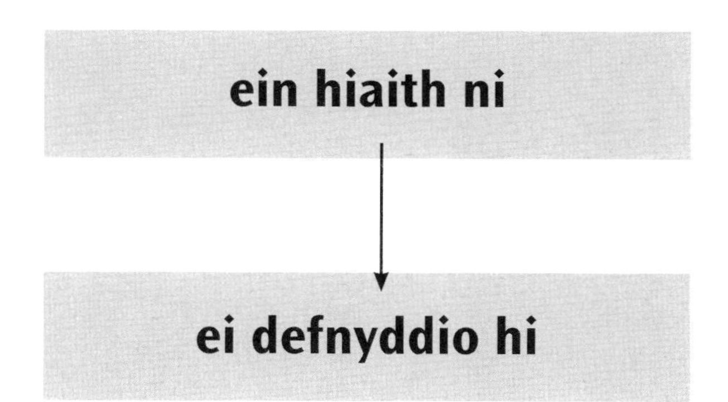

Mae 445 o ysgolion cynradd (o gyfanswm o 1,660) yn dysgu'r Gymraeg fel iaith gyntaf.

Mae 52 o ysgolion uwchradd (o gyfanswm o 229) yn dysgu'r Gymraeg fel iaith gyntaf (ffynhonell: gwefan Mercator).

Dyma'r canolfannau lle mae myfyrwyr yn astudio Cymraeg TGAU ac UG fel iaith gyntaf.

1 Ysgol Uwchradd Dinbych
2 Ysgol Howell's, Dinbych
3 Ysgol Dinas Bran, Llangollen
4 Ysgol Maes Garmon, yr Wyddgrug
5 Ysgol Uwchradd Prestatyn
6 Ysgol Brynhyfryd, Rhuthun
7 Ysgol Glan Clwyd, Llanelwy
8 Ysgol Morgan Llwyd, Wrecsam
9 Coleg Iâl, Wrecsam
10 Ysgol Gyfun Aberaeron
11 Ysgol Gyfun Penweddig, Aberystwyth
12 Ysgol Gyfun Penglais, Aberystwyth
13 Ysgol Dyffryn Aman, Rhydaman
14 Ysgol Uwchradd Aberteifi
15 Ysgol Gyfun Bro Myrddin, Caerfyrddin
16 Ysgol Gyfun Maes yr Yrfa, Llanelli
17 Ysgol y Preseli, Crymych
18 Ysgol Bro Gwaun, Abergwaun
19 Ysgol Tasker Milward, Hwlffordd
20 Ysgol Y Gwendraeth, Llanelli
21 Coleg Sir Gâr, Llanelli
22 Ysgol Llanbedr Pont Steffan
23 Ysgol Gyfun Tre Gib, Llandeilo
24 Coleg Llanymddyfri
25 Ysgol Gyfun Pantycelyn, Llanymddyfri
26 Ysgol Dyffryn Teifi, Llandysul
27 Ysgol Gyfun y Strade, Llanelli
28 Ysgol Gyfun Emlyn, Castell Newydd Emlyn
29 Pride - Neyland
30 Ysgol Bro Ddyfi, Machynlleth
31 Ysgol Uwchradd Tregaron
32 Ysgol Dyffryn Taf, Hendy-gwyn
33 Ysgol Gyfun Gwynllyw, Pont-y-pŵl
34 Ysgol Syr Thomas Jones, Amlwch
35 Ysgol y Berwyn, Y Bala
36 Ysgol Friars, Bangor
37 Ysgol Tryfan, Bangor
38 Ysgol Hillgrove, Bangor
39 Coleg Menai, Bangor
40 Ysgol Dyffryn Ogwen, Bethesda
41 Ysgol y Moelwyn, Blaenau Ffestiniog
42 Ysgol Uwchradd Bodedern, Ynys Môn
43 Ysgol Botwnnog, Llŷn
44 Ysgol Syr Hugh Owen, Caernarfon
45 Ysgol y Gader, Dolgellau
46 Coleg Meirion Dwyfor, Dolgellau
47 Ysgol Ardudwy, Harlech
48 Ysgol Uwchradd Caergybi
49 Ysgol y Creuddyn, Bae Penrhyn
50 St David's College, Llandudno
51 Ysgol Gyfun Llangefni, Ynys Môn
52 Ysgol Brynrefail, Llanrug
53 Ysgol Dyffryn Conwy, Llanrwst
54 Ysgol David Hughes, Porthaethwy
55 Ysgol Dyffryn Nantlle, Penygroes
56 Ysgol Eifionydd, Porthmadog
57 Ysgol Glan y Môr, Pwllheli
58 Ysgol Uwchradd Tywyn
59 Ysgol Gyfun Cwm Rhymni, Y Coed Duon
60 Ysgol Gyfun Cymer Rhondda - Porth
61 Ysgol Gyfun Treorci
62 Ysgol Gyfun Llanhari, Pontyclun
63 Ysgol Gyfun Gartholwg, Pontypridd
64 Ysgol Gyfun Rhydywaun - Aberdâr
65 Christ College, Aberhonddu
66 Ysgol Uwchradd Aberhonddu
67 Ysgol Uwchradd Llanfair-ym-Muallt
68 Ysgol Uwchradd Llandrindod
69 Ysgol Uwchradd Caereinion
70 Ysgol Uwchradd Llanfyllin
71 Ysgol Uwchardd Llanidloes
72 Coleg Powys, Y Drenewydd
73 Ysgol Uwchradd y Trallwng
74 Ysgol Maes-y-dderwen, Ystradgynlais
75 Ysgol Gyfun Bro Morgannwg, Y Barri
76 Ysgol Gyfun Gymraeg Glantaf, Caerdydd
77 Ysgol Howell's, Llandaf
78 Ysgol Gyfun Plasmawr, Caerdydd
79 Ysgol Gyfun Gŵyr, Abertawe
80 Ysgol Gyfun Bryn Tawe, Abertawe
81 Ysgol Gyfun Ystalyfera

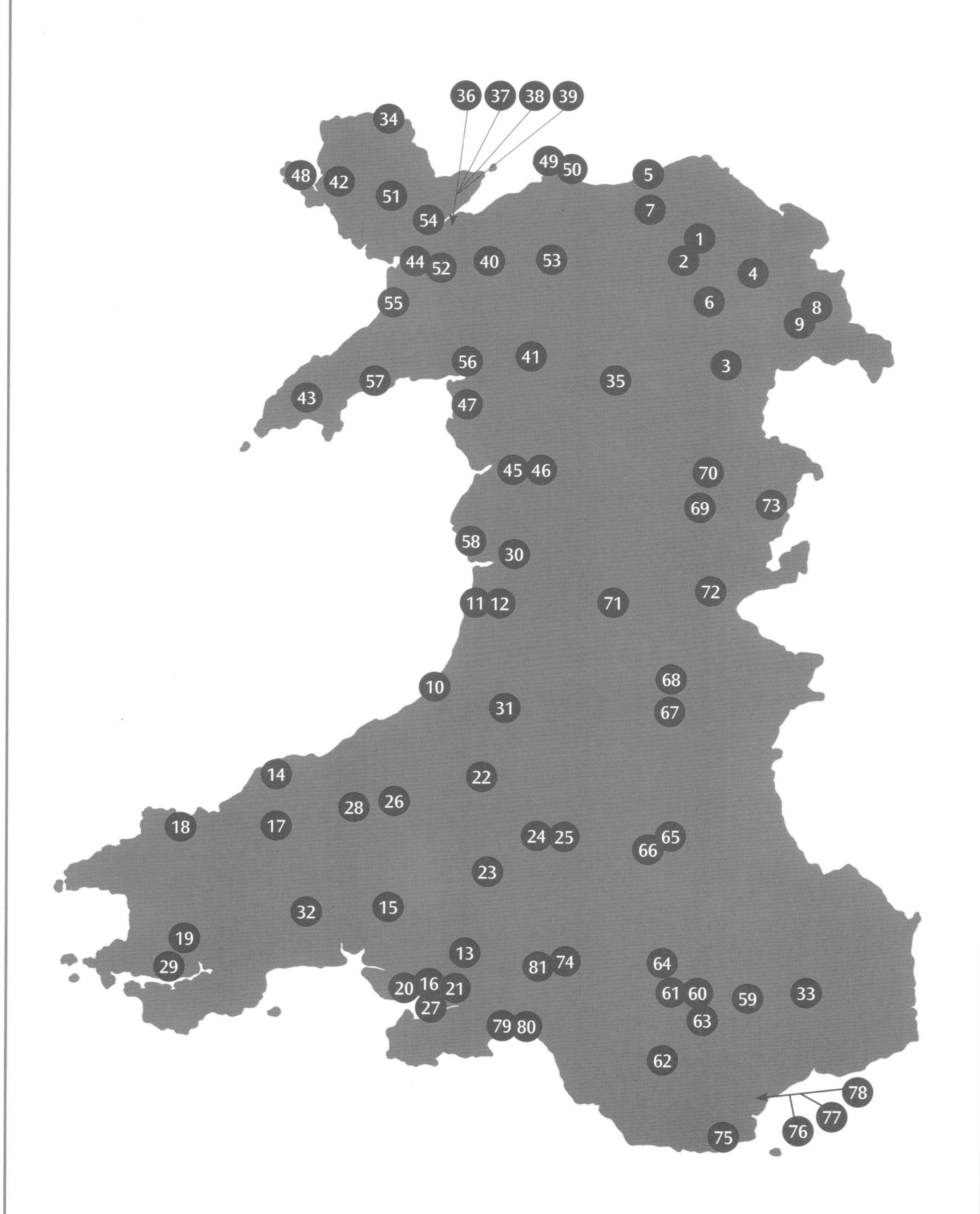
36
37
38
39
34
49
50
5
48
42
51
7
54
1
44
52
40
53
2
4
55
6
8
9
56
41
3
57
35
43
47
45
46
70
69
73
58
30
72
11
12
71
68
10
31
67
14
22
26
28
18
17
24
25
65
66
23
32
15
19
13
74
81
64
29
20
16
21
61
60
59
33
27
63
79
80
62
78
77
76
75

Cwestiynau

(er parch i Gymry newydd Caerdydd)

Fi'n dodo Cardiff
fi yn?
So I'm a bit stiff
ar y treiglo
a'r berf cryno?
a sai rili
yn dwlu
am cerdd dant
a gweld plant
mewn pointy hats
and all that?
I can't see the point I can't.

Ond yn calon fi,
believe me,
os fi ddim yn gallu
siarad fel Cymry,
fel ti yn
yn Dyffryn Aeryn,
fi still yn gwybod
so fi'n Seasod –
fi'n Gymro,
achos na ble fi'n dodo.

Dyffryn Aeron = dyffryn yng Ngheredigion

So nei di
gadel fi
mewn i
Cymru ti?

Oreit?!

Mererid Hopwood

Yn Eisteddfod Genedlaethol Cymru Dinbych a'r Cyffiniau 2001 galwodd Cadeirydd y Pwyllgor Gwaith ar ysgolion i fod yn fwy ymwybodol o beryglon agor drysau i'r di-Gymraeg. Ond cafodd Eifion Lloyd Jones ei feirniadu'n hallt gan fudiad 'Rhieni dros Addysg Gymraeg' am y sylwadau hyn.

Yn ôl Heini Gruffudd o'r mudiad, roedd sylwadau'r Cadeirydd yn rhai hollol annerbyniol o gofio bod 90-95% o'r plant sy'n mynychu ysgolion cyfrwng Cymraeg yn ne Cymru yn dod o gartrefi Saesneg yn unig. "Mae dyfodol yr iaith Gymraeg yn dibynnu ar rieni di-Gymraeg i anfon eu plant i ysgolion Cymraeg. Beth sydd ei angen ydy mwy o gyfle i rieni di-Gymraeg i ddysgu'r iaith, a fyddai'n golygu y gall mwy o blant siarad yr iaith adref."

Dadl Eifion Lloyd Jones, fodd bynnag, oedd nad oes bwriad nac awydd gan nifer fawr o rieni i wneud eu plant yn Gymry Cymraeg. "Pa obaith sydd gan athrawon i geisio Cymreigio'r plentyn pan fo'r rhiant yn ei gwneud hi'n hollol amlwg mai iaith ysgol yn unig ydy'r Gymraeg?"

Cyfeiriodd y Cadeirydd hefyd at y dirywiad yn safon ysgrifenedig y Gymraeg. Erbyn hyn, meddai, prin iawn yw'r disgyblion a rhai athrawon sy'n medru ysgrifennu Cymraeg cywir.

Mae cyfrifoldeb arnom, meddai "i amddiffyn y Gymraeg ac adfer iaith y genedl hon".

TASG

1. Ai cyfrifoldeb ysgol yn unig ydy dysgu'r Gymraeg?
2. Oes gwahaniaeth am safon iaith disgyblion, neu a ddylen ni fod yn falch eu bod nhw'n siarad unrhyw fath o Gymraeg?

TASG

1. Ysgrifennwch lythyr yn ymateb i sylwadau Eifion Lloyd Jones.
   Ydych chi'n cytuno neu'n anghytuno â'i safbwynt?

Dyma ran o'r araith fuddugol yn y gystadleuaeth ysgrifennu traethawd neu araith ar y testun 'Hen bryd newid y byd' (dan 25 oed) yn Eisteddfod Genedlaethol Urdd Gobaith Cymru Sir Gâr 2007.

Araith gyntaf arweinydd newydd Cynulliad Cenedlaethol Cymru, Trystan Wiliam Alwyn Thomas. Tradddodwyd wedi iddo ennill yr arweinyddiaeth ...

Gyfeillion, aelodau'r blaid, aelodau'r cyfryngau. Diolch i chi am y croeso, ac am y cyfle i brofi fy hun i chi fel arweinydd. Fe hoffwn i ddiolch hefyd i'r cyn-arweinydd, Mr. Rhodri Morgan, am arwain y wlad mor ardderchog dros y blynyddoedd diwethaf ...

Fel y gwyddoch chi, un o'r pethau a ddywedodd Mr Morgan am ei olynydd oedd na ddylai ef – neu hi – orfod bod yn medru'r iaith Gymraeg. Er fy mod i'n siarad yr iaith, rwy'n teimlo bod pwynt pwysig yma, ac un ddylai gael ei drafod yn fwy manwl. Mae bron i 80% o boblogaeth Cymru yn ddi-Gymraeg. Ydyn ni, fel Llywodraeth Cynulliad Cenedlaethol Cymru, yn rhoi gormod o bwyslais ar yr iaith leiafrifol hon? Edrychwch ar y feirniadaeth a dderbyniodd Mr Morgan gan siaradwyr Cymraeg pan feiddiodd awgrymu nad yw'r iaith yn hanfodol ... Edrychwch ar y ffordd y mae adnoddau'n cael eu gwastraffu ar sianel deledu a radio Cymraeg eu hiaith pan mai dim ond canran fechan o'r boblogaeth sy'n gallu cymryd mantais ohonynt.

Mae'r iaith Gymraeg yn gancr, gyfeillion, yn fur sy'n gwahanu'r 'elite' sy'n siarad yr iaith a gweddill y boblogaeth. Nid lle y dethol rai yn y Fro Gymraeg ydy datgan bod eu hiaith hwy'n angenrheidiol i deimlo fel Cymro neu Gymraes – mae yna filoedd o bobl ym Mlaenau Gwent, ym Mynwy, ym Mhort Talbot ac ym Môn sydd ddim yn gallu siarad Cymraeg. Ydyn nhw'n llai o Gymry o'r herwydd?

Meddyliwch, gyfeillion. Pobl sydd wedi eu geni yng Nghymru, eu magu yng Nghymru, sy'n ystyried eu hunain yn Gymry ym mhob ffordd – ond pobl sydd ar yr un pryd yn teimlo nad ydyn nhw'n perthyn i'w cenedl gymaint ag y mae'r rhai sydd yn siarad Cymraeg yn wneud! Gwarthus o beth. Rhywbeth y dylai pob Cymro Cymraeg gywilyddio yn ei gylch.

Dydy'r rhagfarnau yma yn erbyn pobl ddi-Gymraeg ddim yn gyfyngedig i wneud iddynt deimlo yn israddol i Gymry Cymraeg, fodd bynnag. Mae'r ymgyrchu cyson gan bob rhan o'r gymuned Gymraeg (a sylwch mai at y gymuned Gymraeg yr ydw i'n cyfeirio yma, nid y gymuned Gymreig) tuag at bobl ddi-Gymraeg a Saeson yn gwbl annerbyniol. Fe ddylai Cymru fel gwlad fod yn croesawu pobl â breichiau agored, beth bynnag fo'u cenedl a'u hiaith. Meddyliwch am y bobl a weithredodd dros Feibion Glyndŵr yn y gorffennol.

Dinistrio cartrefi pobl – a hynny am ddim gwell rheswm na'r ffaith nad oedden nhw'n medru'r Gymraeg!

... Pam ddylai'r mwyafrif o boblogaeth Cymru fyw eu bywydau yn ôl y ffordd y mae'r lleiafrif yn dymuno? Pam ddylai'r cnewyllyn chwerw yma sy'n siarad iaith farw dderbyn y ffasiwn ffafriaeth? Ddylen nhw ddim, wrth gwrs, ac rwy'n addo i chi nawr ... fy mod i'n barod i wneud popeth yn fy ngallu i gywiro'r anghyfiawnder hwn. Rwy'n barod i gyhoeddi i chi nawr ... mai fy mholisi pwysicaf fel Prif Weinidog Cymru fydd ei gwneud hi'n wlad ble mae pob Cymro a Chymraes yn gwbl gyfartal – pob un ohonyn nhw â'r un hawl i alw eu hunain yn Gymry glân gloyw.

Sut bydd y newid anhygoel yma'n digwydd? Syml, gyfeillion ... deddf a fydd yn adfer Saesneg i'w statws haeddiannol fel prif iaith Cymru ac yn gwneud Cymraeg yn iaith eilradd unwaith yn rhagor.

... Fe fydd y polisi hwn yn ffordd o arbed llawer iawn o arian, hefyd, a fydd ar gael i'w fuddsoddi mewn meysydd sy'n sicrhau safon bywyd gwell i bawb yng Nghymru. Mae'r Gwasanaeth Iechyd yng Nghymru yn gwella bywydau pawb sy'n ei ddefnyddio, a'r heddlu'n perfformio gwasanaeth angenrheidiol – oni fyddai buddsoddi mwy o arian yma yn well defnydd o arian y trethdalwyr na thaflu'r arian i'r gwynt yn cefnogi dramodwyr di-ddim ac yn sicrhau bod pob dogfen gyhoeddus yn ddwyieithog? Ac edrychwch ar yr Eisteddfodau Cenedlaethol – cannoedd o filoedd o bunnoedd bob blwyddyn yn cael eu gwario ar 'ego-trip' elîtaidd i'r Cymry Cymraeg dosbarth-canol. Pam ddylai'r llywodraeth yma gefnogi sefydliad sydd ag apêl mor gyfyng, ac sydd o'r herwydd ddim yn talu ei ffordd? Fe gaiff yr Eisteddfod lusgo ei hun i mewn i'r unfed ganrif ar hugain, neu ddioddef y canlyniadau.

Felly, gyfeillion, mae ganddon ni waith mawr o'n blaenau. Nid gwaith hawdd fydd datgymalu dros ddeugain mlynedd o foesymgrymu i'r Gymraeg, ond mae'n waith angenrheidiol er hynny. Allwn ni ddim fforddio llaesu dwylo – rŵan ydy'r amser i dorchi llewys a tharo'n ôl dros bawb yng Nghymru sydd wedi cael ei wneud i deimlo'n llai o Gymro ar gownt yr iaith ddarfodedig yma. Diolch i chi unwaith eto am eich cefnogaeth, gyfeillion, a chofiwch – nid y Gymraeg sy'n eich gwneud chi'n Gymry!

Ffurf yr araith

TASG

Edrychwch eto ar yr araith hon.

Pa dechnegau arddull a ddefnyddir ynddi er mwyn perswadio'r gynulleidfa? Chwiliwch am enghreifftiau penodol:

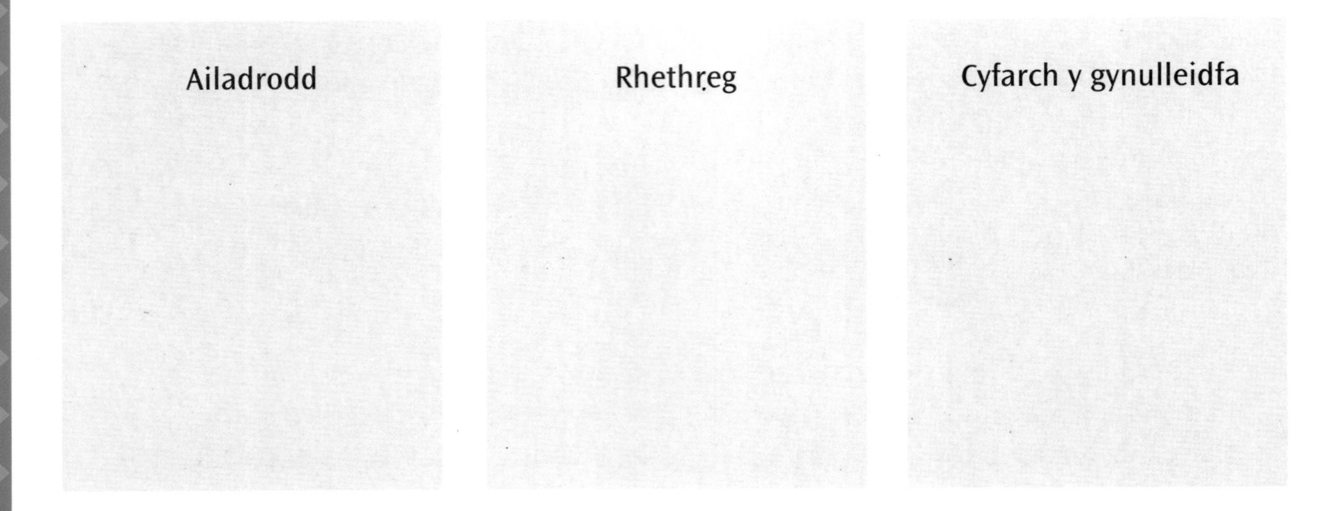

Chi yw llefarydd yr wrthblaid ar y Gymraeg. Mae eisiau i chi ymateb i araith y Prifweinidog newydd.

CYNLLUNIO DADLEUON

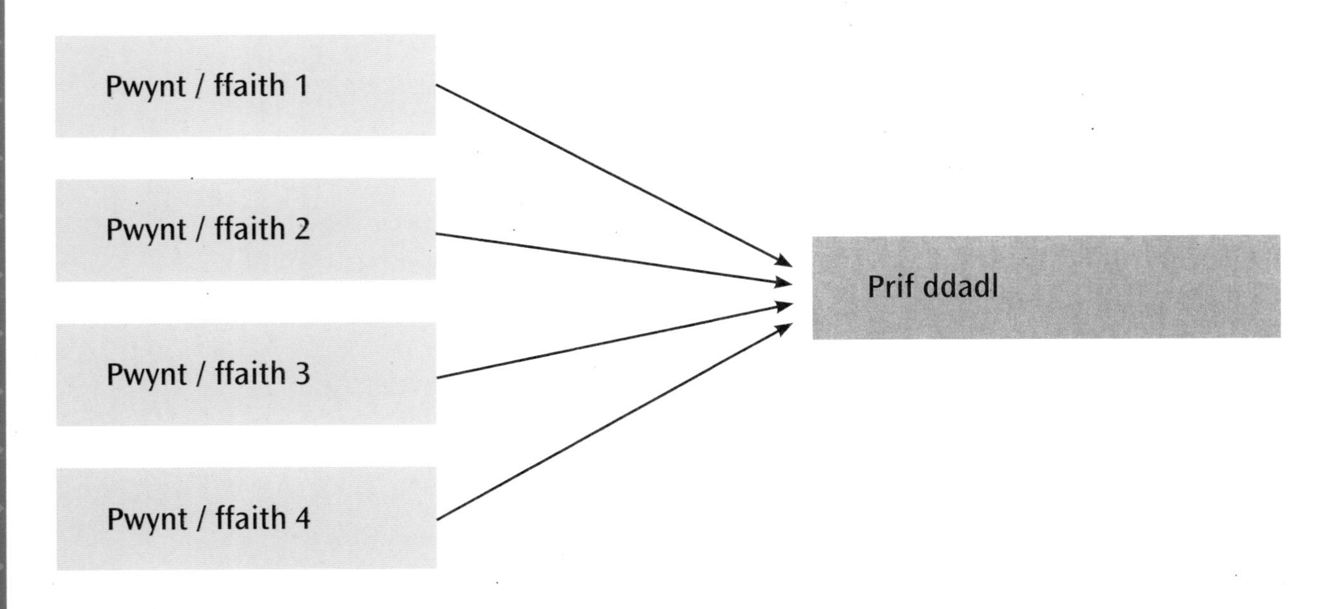

PATAGONIA

Mae'n anodd credu bod pobl yn siarad Cymraeg ym mhen draw'r byd – mewn gwlad lle mae pengwiniaid yn byw. Patagonia! Ble yn union mae Patagonia? Wel, gwlad yn Ne America yw hi, ardal sydd yn cwmpasu darn o wlad Ariannin a darn bach o wlad Chile. Pam yn y byd mae tua 5,000 o bobl yn siarad Cymraeg yno … a dros 20,000 yn hannu o deuluoedd Cymraeg?

Ym mis Mai 1856 gadawodd tua 160 o Gymry eu gwlad gan hwylio o Lerpwl, ar fwrdd llong y *Mimosa*, i Batagonia. Cymerodd hi dri mis iddyn nhw gyrraedd eu cartref newydd. Yno roedd can milltir sgwâr o dir diffaith yn eu haros – a dim arall. Pam felly roedden nhw wedi dewis gadael eu gwlad ffrwythlon am y paith anial? Roedden nhw o'r farn bod Cymru'n newid yn rhy gyflym – roedd problemau tlodi'n llethu nifer o deuluoedd a rhai yn chwilio am rywle i addoli mewn heddwch.

Rhoddodd y Cymry eu stamp eu hunain ar y tir – gan greu trefi a'u galw'n enwau fel Caer Antur a Threrawson. Roedd y tir yn sych ac anodd i'w ffermio, ac roedd diffyg bwyd yn broblem yn y cyfnodau cynnar. Cyrhaeddodd mwy fyth o Gymry ym 1874 a 1876. Sefydlodd y bobl eu cymdeithas eu hunain – yn gapel ac eisteddfod – a'r rhain i gyd yn y Gymraeg.

Dros 150 o flynyddoedd wedi i'r Cymry cyntaf gyrraedd Patagonia, mae'r Gymraeg i'w chlywed yno o hyd, ac mae niferoedd gweddol uchel o siaradwyr Cymraeg mewn llefydd fel y Gaiman, Dyffryn Camwy a Phorth Madryn. Mae ysgolion Cymraeg yno ac mae nifer fawr o bobl wrthi'n dysgu Cymraeg yno. Yn flynyddol, mae cyfle i athrawon Cymraeg fynd i Batagonia i dreulio blwyddyn yn dysgu mewn ysgolion yno. Mae Sali Mali yr un mor boblogaidd ym Mhorth Madryn ag y mae hi ym Mhorthaethwy.

TASG

Trafodwch:

- Beth yw'ch barn chi am y bobl gyntaf hynny a fentrodd i Batagonia? A fyddech chi'n fodlon gwneud yr un peth?
- Beth ydych chi wedi'i ddysgu am:

Patagonia ddoe	Patagonia heddiw

Treuliodd Sioned Whitfield, o ardal Talgarreg yng Ngheredigion chwe mis ym Mhatagonia yn 2005-06 yn dysgu Cymraeg i oedolion a phlant.

Cysgu – dyna beth wnes i am y deuddeg awr o daith o Heathrow i Buenos Aires. Do, fe wnes i ddihuno am ryw ddwy awr wrth i ni aros ym Milan i newid awyrennau, ond buan iawn yr oeddwn 'nôl yn cysgu'n braf yn fy sedd ar yr awyren, heb feddwl dim am yr antur anferthol a oedd yn aros amdanaf wedi i mi lanio. Dim ond ar ôl i mi gyrraedd y brifddinas, Buenos Aires, y sylweddolais fy mod mor bell o gartref. Wrth i mi deithio yng nghefn y tacsi o'r maes awyr rhyngwladol i'r maes awyr mewnol a gweld y traffig di-ddiwedd a'r brif heol anferthol o ddau ddeg pedwar lôn, y sylweddolais mewn gwirionedd nad oeddwn yng Nghymru fach bellach. Ond y sioc fwyaf a gefais oedd cyrraedd maes awyr Trelew ychydig oriau yn ddiweddarach a chael fy nghyfarch yn fy mamiaith gan Luned Gonzlez, y ddynes a oedd i fod yn llysfam arnaf yn ystod fy nghyfnod ym Mhatagonia. Dyna braf oedd clywed y Gymraeg, a hynny bron saith mil o filltiroedd o gartref!

Do, fe gwrddais â sawl cymeriad yn y Wladfa. Gyda Sibyl Evans y bûm yn byw am gyfnod yn ystod fy arhosiad. Dyma beth oedd cymeriad! Roedd ei choginio cartref gwych yn enwog ledled Patagonia a phob ymwelydd yn siŵr o roi stôn o bwyasu arno cyn gadael ei chartref clyd! Croeso cynnes oedd gan Luned Gonzlez a'i chwaer Tegai i'w gynnig hefyd ym Mhlas y Coed yn y Gaiman. Dyma flwch Pandora o drysorau a straeon gwych am hanes a diwylliant y wlad a'i phobl. Teulu hyfryd a chroesawgar oedd gan Billy Hughes a'i wraig Gladys. Dyma le gwych i gael Asador braf (cig wedi ei rostio'n araf dros danllwyth o dân agored) yn sgwrsio â thrigolion lliwgar yr ardal tan oriau mân y bore a'r gwin yn llifo!

Er bod nifer o bethau yn debyg rhwng y ddwy wlad, mae yno wahaniaeth mawr rhwng eu tirwedd. Roedd hi'n anodd iawn i ddod i arfer â'r tir sych, llychlyd a oedd o dan droed, ac roedd ei weld o fy nghwmpas ym mhobman yn peri i mi sylweddoli'r her a wynebodd yr allfudwyr cyntaf a ddaeth i Batagonia. Roeddwn i'n lwcus i gael teithio ar fws ar hyd y daith hir heibio i'r Andes i ochr orllewinol y wlad. Roedd hyn yn wahanol iawn i'r daith a wynebodd y dynion dewr a fentrodd dros y mynyddoedd am wythnosau ar gefn ceffyl i chwilio am fywyd gwell iddynt hwy a'u teuluoedd. Roedd gweld Cwm Hyfryd am y tro cyntaf, wrth doed yr Andes, a'i thir gwyrdd, ffrwythlon, yn atgof chwerwfelys o Gymru.

Mae'r trigolion yn falch iawn o'u diwylliant. Mae'r tai te, a'r llu amgueddfeydd yn dyst i hynny. Maent hefyd yn dathlu Gŵyl y Glaniaid a dydd Gŵyl Dewi yn flynyddol. Cynhelir Eisteddfod y Wladfa bob Hydref lle ceir cystadlu brwd gyda chystadleuwyr yn brwydro am lwyddiant wrth ganu, llefaru, dawnsio gwerin a chymaint mwy ac mae'n denu'r holl Gymry at ei gilydd i ddathlu eu Cymreictod. Mae nifer o'r to hŷn yn medru'r iaith ac mae llawer o'r bobl ifainc yn mynychu gwersi Cymraeg yn wythnosol.

Does neb yn sicr beth fydd dyfodol y Gymraeg ym Mhatagonia, ond mae dyfodiad yr athrawon Cymraeg a gweithwyr ieuenctid wedi cynyddu ymwybyddiaeth a chreu adfywiad ymhlith y bobl. Mae'n rhaid gobeithio y bydd yr adfywiad hwnnw a datblygiad y We a thechnoleg fodern yn parhau am genedlaethau i ddod fel bod ein cysylltiad â'r Wladfa yn parhau i ffynnu.

Sioned Whitfield

TASG

Darllenwch yr erthygl hon.

Ydych chi'n cytuno bod angen swyddog iaith ym Mhatagonia?

Mentro i hybu'r iaith ym Mhatagonia

Bydd Menter Iaith yn cael ei sefydlu ym Mhatagonia y flwyddyn nesaf. Mewn cynllun a fydd yn adeiladu ar y rhaglen ddysgu sydd eisoes wedi ei sefydlu yno, bydd y menter yn ceisio cryfhau'r Gymraeg yn ogystal â cheisio hybu defnydd yr iaith yn gymdeithasol.

Menter Iaith Patagonia yw'r enw ar gasgliad o nifer o fudiadau sydd yn cynnwys Mentrau Iaith Cymru, yr Urdd, Cymdeithas Cymru Ariannin a'r Cyngor Prydeinig sydd wedi dod at ei gilydd i wireddu'r cynllun.

Maen nhw hefyd wedi derbyn nawdd oddi wrth gwmni Nos Da o Gaerdydd, a fydd yn sicrhau cyllid i allu cyflogi dau swyddog i fynd i'r Wladfa i weithredu'r cynllun.

Dywedodd Meirion Davies, trefnydd Menter Patagonia, mai ymateb i adroddiad blynyddol am ddysgu Cymraeg ym Mhatagonia yw'r cynllun.

"Ers blynyddoedd mae'r adroddiad wedi dweud mwy neu lai yr un peth – fod angen mwy o gyfleoedd i gymdeithasu yn Gymraeg yn y Wladfa," meddai Meirion Davies.

"Heb y cyfleoedd hynny, ni fydd modd sicrhau y daw dysgwyr yn rhugl yn eu Cymraeg, na chynnal Cymraeg y rhai sy'n ei harddel o hyd. Rydyn ni'n ceisio creu y cyfleoedd hynny."

Gobaith y mudiad hefyd yw gallu cynnig cyfleoedd i'r rheiny o'r Wladfa sydd eisiau gweithio neu astudio yng Nghymru ac i Gymry sydd eisiau gwneud gwaith gwirfoddol fynd yno.

Dywedodd Meirion Davies: "Bydd y cynllun yn rhoi hwb sylweddol i'r Gymraeg yn y Wladfa ond hefyd yn ehangu defnydd y Gymraeg yng Nghymru a chreu nifer o gyfleoedd newydd ac unigryw i ddefnyddio'r Gymraeg.

"Mae'r ffaith eich bod yn gallu siarad Cymraeg mewn rhannau eraill o'r byd yn rhoi hygrededd gwerthfawr iddi fel iaith fyw."

Dyma erthygl am y Gymraeg ym Mhatagonia, a ymddangosodd yn y cylchgrawn Golwg - 8fed Tachwedd 2007.

I FYD SY WELL

Dechreuodd fwrw glaw. Gwrandawodd Jane yn astud ar y dafnau caled yn disgyn yn gerrig o ddŵr ar hyd y dec.

Pita . . .

Pita-pat. Pita-pat . . .

Pita-pat-a. Pit-a-pat-a . . .

Pita-a-pat-a-go-ni-a. Pi-ta-pat-a-go-ni-a . . .

Roedd enw'r wlad yn ei chyrchu i bob man fel drychiolaeth. Enw caled, enw estron, enw mor ddieithr iddi â rheswm ei thad dros fudo.

'Rhyddid, Jane fach. O gyrraedd yr Amerig fe fyddwn yn rhydd.'

Rhyddid; mor amwys oedd ystyr y gair hwnnw i Jane. Ni wyddai pa gyffion a deimlai ei thad mor dynn amdano a barai iddo ei phlygu a'i phacio i wlad yn llawn addewidion chwedlonol. Yn ei rhwystredigaeth fe rwbiai Jane ei boch yn ôl ac ymlaen ar hyd wyneb garw'r gasgen gyfagos gan fwynhau'r boen chwerw-felys a achosid gan y pren yn crafu hyd ei chroen ifanc. Cyflymodd ei symudiadau nes bod y pren yn llyfn a'i boch yn goch gan sgriffiadau. Llifai ei dagrau'n llosg i'w briwiau, a daeth blinder yn bwysau ar ei chorff gan ei gorfodi i orwedd. Pan ddaeth y Parch. â bara ceirch a thamaid o gaws iddi'n ginio fe'i darganfu hi ynghwsg y tu ôl i fareli wisgi (anghyfreithlon) Capten McFadden, gyda'r ieir yn clwcian yn bryderus uwch ei phen. Fe swatiodd y Parch. wrth ei hymyl a cheisiodd ei wneud ei hun yn gyfforddus ar y llieiniau sach yr oedd ei ferch wedi'u mabwysiadu'n wely.

***

Hugh Hughes oedd y cyntaf i glywed y geiriau. Cododd ar ei eistedd yn ei fync gan daro'i ben (fel y gwnâi bob bore) ar y trawst pren. Anwesodd y dolur cyn syrthio'n swp o'i fync a cherdded i fyny'r grisiau'n ofalus yn y tywyllwch. Cilagorodd ddrws yr hatch gan ddal ei glust chwith i'r awel oer.

'. . . rwy'n gallu gweld ein hyfryd Wladychfa!'

Sicrhaodd Hugh Hughes ei hun nad breuddwydio yr oedd. Roedd y dolur ar ei ben yn curo'n galed gan brofi ei fod mor effro â'i awen ei hun.

'Tir,' sibrydodd yn dawel dan ei wynt, mewn ymdrech i gredu'i eiriau ei hun.

'Tir!' gwaeddodd yn uchel drachefn gan lwyddo i gynhyrfu'r llanciau a gysgai'n agos ato.

'TIR!' udodd yr eildro gan sicrhau sylw'r gwŷr i gyd.

'Tir?' cwestiynodd y Parch. Arnallt Morgan, ond roedd nifer o'r bechgyn ieuengaf eisoes yn gwisgo'n frysiog ac yn carlamu'n eiddgar heibio i Hugh Hughes ar y grisiau gan beri iddo ddisgyn oddi ar yr ysgol bren.

'Faint o'r gloch 'di hi?' sibrydodd y Parch. yn gysglyd.

'Pa ots, Barchedig? Rydym wedi cyrraedd! Rydym wedi cyrraedd y Wladychfa!' atebodd Hugh Hughes yn llawn cynnwrf.

Taflodd y bardd ei *top coat* amdano gan annog y Parch. i wneud yr un peth. Chwarddodd y Parch. wrth weld ei gyfaill yn baglu ar y grisiau pren wrth geisio eu dringo i gyrraedd y dec. Roedd pob bync o'i amgylch bellach yn wag a gallai glywed gwaeddiadau'r gwŷr i gyd ar y dec. Dringodd y Parch. yn araf o'i fync gan sawru'r foment i'r eithaf. Dyma'r dechrau. Dechrau bywyd newydd iddo yntau a'i ferch.

TASG

Rydych wedi darllen pedwar darn am Batagonia.

Beth ydych chi wedi'i ddysgu am:

- y daith yno;
- hanes y lle;
- daearyddiaeth y lle;
- diwylliant y lle;
- dyfodol y lle.

Ysgrifennwch eich gwybodaeth am y lle ar ffurf paragraffau. Ceisiwch gymharu gwahanol ffynonellau tystiolaeth pan fo hynny'n addas.

Gorau Cymro, Cymro oddi cartref

1. A fyddech chi'n dymuno symud i weithio ym Mhatagonia? Pam?
2. Ydych chi'n credu bod pobl sydd yn symud i wledydd eraill yn dal i deimlo'n Gymry?
3. Pe baech chi'n ymfudo, i ba wlad y byddech chi'n mynd a pham?

“Gwinllan a roddwyd i’m gofal . . .”

1282 a 1969

Beth sydd yn gyffredin rhwng y ddau ddyddiad hyn?

Yn sicr, maen nhw'n ddau drobwynt yn hanes Cymru.

Cilmeri

1282

Ym 1282, lladdwyd Llywelyn ein Llyw Olaf yng Nghilmeri. Ef oedd yr unig Dywysog oedd wedi llwyddo i uno holl ardaloedd Cymru. Ar Ragfyr 11eg cafodd ei ladd ger Pont Irfon ger Cilmeri. Torrwyd ei ben ymaith, a'i gludo i Lundain, er mwyn dangos i'r Brenin Edward bod ei elyn pennaf wedi'i orchfygu. Erbyn 1543 roedd y Deddfau Uno wedi gwneud Cymru'n rhan o Loegr.

1969

Penderfynodd y Frenhines Elizabeth roi'r teitl 'Tywysog Cymru' i'w mab hynaf, y Tywysog Charles. Cynhaliwyd seremoni fawr i'w arwisgo'n Dywysog Cymru yng nghastell Caernarfon ym 1969. Cyn hyn, treuliodd gyfnod yn y Brifysgol yn Aberystwyth yn dysgu siarad Cymraeg. Cymysg oedd y croeso i'r Tywysog newydd. Ddiwrnod cyn yr arwisgo gosododd dau ddyn fom ar y rheilffordd lle byddai'r trên brenhinol yn teithio. Ffrwydrodd y bom wrth i'r ddau ei osod ac fe'u lladdwyd. Trefnwyd bod 1,000 o heddlu yng Nghaernarfon ddiwrnod yr Arwisgo, cymaint oedd y pryder am brotestiadau. Er hyn, aeth y seremoni yn ei blaen yn ddi-drafferth.

Trwy ganiatâd Cadw.Hawlfraint y Goron

Cilmeri

Fin nos, fan hyn
Lladdwyd Llywelyn.
Fyth nid anghofiaf hyn.

Y nant a welaf fan hyn
A welodd Llywelyn.
Camodd ar y cerrig hyn.

Fin nos, fan hyn
O'r golwg nesâi'r gelyn.
Fe wnaed y cyfan fan hyn.

'Rwyf fi'n awr fan hyn
Lle bu'i wallt ar welltyn,
A dafnau o'i waed fan hyn.

Fan hyn yw ein cof ni,
Fan hyn sy'n anadl inni,
Fan hyn gynnau fu'n geni.

Gerallt Lloyd Owen

TASG

Mae'r bardd yn sefyll yng Nghilmeri ac yn cofio am Llywelyn ein Llyw Olaf, sef gwir dywysog olaf Cymru ym marn y bardd.

Pa dechnegau felly y mae'r bardd yn eu defnyddio i gyfleu ei neges yn y gerdd hon?

Chwiliwch am enghreifftiau o'r technegau canlynol, gan nodi a ydyn nhw'n effeithiol wrth gyfleu neges y bardd:

- ailadrodd;
- defnydd o'r ferf;
- cyflythrennu;
- defnydd o odl.

Sut ydych chi'n teimlo wedi i chi ddarllen y gerdd hon?
Ydy'r bardd wedi gwneud ei waith?

PENYBERTH

Trwy ganiatâd Llyfrgell Genedlaethol Cymru

Saunders Lewis, D.J. Williams a Lewis Valentine

Ym 1935 penderfynodd y Llywodraeth sefydlu Ysgol Fomio i'r Awyrlu ym Mhenyberth ym Mhen Llŷn. Roedd gwrthwynebiad mawr yng Nghymru, ond cafodd y farn hon ei hanwybyddu gan y Llywodraeth.

Ym 1936 dechreuwyd ar y gwaith adeiladu.

Roedd tri chenedlaetholwr amlwg, Saunders Lewis, D.J. Williams a Lewis Valentine yn chwyrn iawn yn erbyn y penderfyniad hwn. Aethon nhw ati i ysgrifennu llythyrau, trefnu cyfarfodydd a gosod posteri. Er bod llawer iawn o bobl yn eu cefnogi, ni newidiodd y Llywodraeth ei meddwl.

Ar noson yr 8fed o Fedi 1936 llosgodd y tri hyn rai o'r adeiladau gan greu tân a achosodd ddifrod i'r Ysgol Fomio. Aeth y tri yn syth bin i Swyddfa'r Heddlu ym Mhwllheli a chyfaddef yr hyn a wnaethon nhw.

Bu achos llys yng Nghaernarfon, a methodd y rheithgor â dod i benderfyniad. Cynhaliwyd yr achos nesaf yn yr Old Bailey yn Llundain. Dedfrydwyd Saunders Lewis i flwyddyn o garchar am ei ran ef yn y weithred.

Penyberth

'Prydferthwch,' sibrydodd y dail wrth y nos,
a'r nos wrth y lloer, a'r lloer wrth y gwynt.
'Prydferthwch,' utganodd y gwynt dros y rhos –
'Mae tân yn Llŷn.'

'Cyfiawnder,' dyfarnodd y rhos wrth y graig,
a'r graig wrth y glaw, a'r glaw wrth y môr.
'Cyfiawnder,' ochneidiodd y môr wrth y traeth; -
'Mae tân yn Llŷn.'

'Dyna drais,' meddai Lloegr wrth reithwyr y fainc,
a rheithwyr y fainc wrth farnwr y llys.
'Dyna drais,' meddai'r barnwr, 'a hallt yw'r gosb
am dân yn Llŷn.'

'Dieuog,' sisialodd yr haul wrth y ddôl,
a'r ddôl wrth y nant a'r nant wrth y glyn.
'Dieuog,' wylodd y glyn wrth y gwlith,
'am dân yn Llŷn.'

'Gwinllan a roddwyd i'm gofal,' medd ef, -
'rhaid ei diwyllio fy hun,
ac fe gyfyd cenhedlaeth fel ffenics o lwch
y tân yn Llŷn.'

Gwynn ap Gwilym

TASG

Mae'r gerdd hon a cherdd 'Cilmeri' yn gerddi cenedlaetholgar.
Ym mha fodd y maen nhw'n gwahaniaethu rhwng ei gilydd?
Yn eich barn chi, pa gerdd sydd:

- fwyaf cynnil ei neges?
- fwyaf llwyddiannus yn deffro Cymreictod y darllenydd?
- yn llwyddo i gyfleu naws arbennig?

Trafodwch sut mae'r cerddi'n llwyddo neu beidio wrth gyflawni'r uchod.

FY HANES I – YR ARWIGSO

Dydd Mercher, Ebrill 2, 1969

'Sara, dwi wedi gwneud penderfyniad pwysig.'

Roedd golwg ddifrifol arno fo.

'Chdi ydi'r unig un yn y teulu 'ma fydd yn dallt,' medda fo wedyn.

'Be, Taid?' Roeddwn i'n nerfus ac yn gyffrous ar yr un pryd. Pan siaradodd Taid wedyn, roedd o bron yn sibrwd:

'Dwi'n mynd i wneud protest!'

'Be? Sut fath o brotest?'

'Dwi'n mynd i wrthod arddangos disg treth ar y car!'

'Taid!' Roeddwn i'n teimlo fy llygaid yn agor yn grwn mewn edmygedd – a sioc! 'Ond be ddeudith Nain!'

'Yn bwysicach na hynny, be ddeudith dy dad?' meddai Taid yn dawel. 'Mi fydda i'n torri'r gyfraith, ti'n gweld.'

Roeddwn i eisoes yn gyfarwydd â'r ffaith y byddai brwydr ynglŷn â disgiau treth. Doedd Mr a Mrs Wynne ddim yn bwriadu arddangos eu disg treth oherwydd ei fod o'n uniaith Saesneg. Roedd Gwil wedi esbonio y byddai hyn yn ymgyrch gan Gymdeithas yr Iaith, ond roedden nhw'n rhoi cyfle i bobol roi eu henwau ar y rhestr o gefnogwyr a dechrau gweithredu wedyn hefo'i gilydd er mwyn i'r Llywodraeth gael cyfle i ymateb.

'Ti'n gweld,' meddai Gwil, 'mae'r Llywodraeth wedi dweud na fydd disgiau treth car byth yn cael eu darparu yn Gymraeg nac yn ddwyieithog chwaith. Ond rŵan mae 'na griw o bobol barchus,' gwenodd yn ddireidus wrth ddweud y gair hwn, 'yn ogystal â stiwdants gwallgo 'fath â fi yn barod i sefyll dros hawliau'r Gymraeg ar y mater.'

'Fel pwy?'

'Athrawon, awduron, beirdd, o, a gweinidogion, wrth gwrs! Mae'r rheiny ar flaen y gad hefo pob dim!'

Felly pan soniodd Taid am ei awydd i brotestio, mi wyddwn inna beth oedd ganddo mewn golwg. Ac roedd hi'n weddol amlwg hefyd, yn doedd, pwy oedd wedi rhoi'r syniad yn ei ben o!

'Pwy ddaru'ch perswadio chi, Taid? Tad Gwil, mae'n siŵr!'

Er fy mod i'n edmygu safiad Taid, ac yn gwybod ers sbelan beth oedd ei ddaliadau yn y dirgel, eto i gyd mi oedd gen i ofn. Ofn beth fyddai gan Dad, a Nain – a gweddill pobol y pentref mewn gwirionedd – i'w ddweud. Wedi'r cwbwl, roedd hi'n iawn i'r Parchedig a Mrs Wynne fod yn genedlaetholwyr, yn 'Welsh Nash'. Roedd pobol yn disgwyl iddyn nhw ymateb felly.

'Doedd 'na fawr o waith perswadio arna i,' meddai Taid. 'Dwi'n digwydd meddwl mai dyma'r peth iawn i'w wneud.' Winciodd yn gynllwyngar arna i ac ychwanegu: 'Dydi'r gweithredu go iawn ddim i fod i ddechrau tan fis Medi. Casglu enwau maen nhw rŵan, ti'n gweld.'

'Mi ydach chi reit benboeth yn ddistaw bach, yn dydach, Taid?'

'Yn ddistaw bach,' cytunodd, ac mi faswn i wedi taeru i mi weld rhyw fymryn o dristwch yn ei wên. Roedd o'n mynd i oed ac ofn pechu ei deulu, ac eto roedd yna dân yn ei fol dros bethau. Edrychais arno a gweld am unwaith rywun amgenach na dim ond Taid Arwelfa. Tad fy mam. Gŵr Nain. Pe bai o'n ifanc heddiw fel Gwil mi fyddai allan hefo'r hogia'n peintio'r byd yn wyrdd. O, byddai. Doedd gen i ddim amheuaeth o hynny bellach!

'Wel, tyrd yn dy flaen ta!' meddai'n sydyn.

'Be dach chi'n feddwl?'

'Y llythyr 'ma, te. Yn dweud fy mod i'n dymuno ychwanegu fy enw at y rhestr. Wyt ti am fy helpu fi i fynd drwy'r datganiad 'ma a gwneud rhyw lun o lythyr i fynd hefo fo?'

Edrychais yn syn ar y darn papur yn llaw Taid. Dyma oedd yn y datganiad:

Ni fyddaf, o'r Cyntaf o Fedi, 1969, ymlaen yn arddangos disg treth ar fy nghar hyd nes y bydd y disgiau hyn yn cael eu rhoi allan i bob modurwr yng Nghymru yn ddiwahân, a hynny o dan yr un amodau ag y rhoir rhai uniaith Saesneg yn Lloegr.

Nid arddangosaf unrhyw ddisg newydd ychwaith oni fydd y Gymraeg arni o leiaf yn gydradd â'r Saesneg o ran lleoliad ac amlygrwydd.

Nid atebaf unrhyw wŷs i lys barn ynglŷn â'r drosedd hon os na fydd y wŷs yn ddwyieithog, a hynny heb imi ofyn ymhellach am hynny.

Ni thalaf unrhyw ddirwy am y drosedd hon.

Fedrwn i ddim credu bod fy nhaid i fy hun mor barod i dorri'r gyfraith, ac eto roedd rhyw gyffro rhyfedd yn pigo 'nghorff i gyd. Ni thalaf unrhyw ddirwy am y drosedd hon! Arwyddodd Taid y datganiad mewn ffownten pen a chyfeiriais innau'r amlen mor daclus ag y gallwn, o ystyried pa mor grynedig oedd fy llaw, at Y Prifathro R. Tudur Jones, Coleg Bala Bangor, Bangor. Teimlais wefr o feddwl fod gen inna fy rhan hefyd rŵan yn y brotest hon! . . .

Dydd Sadwrn, Mehefin 28

Mae 'na rali yng Nghilmeri i wrthwynebu'r Arwisgo. A dydw i ddim yno!
'Wylit, wylit, Lywelyn . . .'

Gorffennaf 1af

(Ddiwrnod yr Arwisgo mae Sara a'i thaid yn mynd am dro i Draeth Mawr Berffro.)

Doedd yna ddim haul. Yn hytrach, roedd yr awyr yn wlyb fel wyneb a fu'n wylo. Rhoddais fy llaw trwy fraich Taid wrth i ni groesi'r traeth. Disgynnodd dafnau bach o law smwc a chymysgu hefo'r heli. Doedd y tywydd ddim yn ein poeni ni. A dweud y gwir, roedd hi'n briodol iawn wrth i ni edrych dros y dŵr fod tref Caernarfon ar goll o dan gwmwl.

'Cael ei ddefnyddio mae yntau hefyd, 'ddyliwn,' medda Taid ymhen dipyn.

'Pwy?'

'Yr hogyn bach 'na yn fan'cw pnawn 'ma. Y prins.' Craffodd Taid i gyfeiriad y cwmwl glaw. 'Meddylia braf fasa hi tasa hwnna'n dŵad yn ei ôl rhyw ddiwrnod i agor ein senedd ni yma yng Nghymru!'

'Mewn byd o hud a lledrith, ia, Taid?' medda finna'n bryfoclyd …

Tafod y Ddraig

MISOLYN CYMDEITHAS YR IAITH GYMRAEG pris 6ch

Rhifyn CARLO '69!!! (Mehefin, y Mis cyn y Dydd) Rhif 22!!

WYLIT, WYLIT, LYWELYN,
WYLIT WAED PE GWELIT HYN.

G.Ll.O.

GWLEDD o bethau tu mewn i DDATHLU'r DYDD!

Tafod Tecnirama, y Swfenir Perffaith!

Fy Ngwlad

Wylit, wylit, Lywelyn,
Wylit waed pe gwelit hyn.
Ein calon gan estron ŵr,
Ein coron gan goncwerwr,
A gwerin o ffafrgarwyr
Llariaidd eu gwên lle'r oedd gwŷr.

ffafrgarwyr = pobl sy'n hoffi ffafrau
llariaidd = heb asgwrn cefn

Fe rown wên i'r Frenhiniaeth,
Nid gwerin nad gwerin gaeth.
Byddwn daeog ddiogel
A dedwydd iawn, doed a ddêl,
Heb wraidd na chadwynau bro,
Heb ofal ond bihafio.

gwerin gaeth = heb ryddid
daeog = yn gaeth i feistr

Ni'n twyllir yn hir gan au
Hanesion rhyw hen oesau.
Y ni o gymedrol nwyd
Yw'r dynion a Brydeiniwyd.
Ni yw'r claear wladgarwyr,
Eithafol ryngwladol wŷr.

au = gwewyr

Fy ngwlad, fy ngwlad, cei fy nghledd
Yn wridog dros d'anrhydedd.
O, gallwn, gallwn golli
Y gwaed hwn o'th blegid di.

Gerallt Lloyd Owen

TASG

1. Beth yw pwrpas y gerdd?
2. Ydych chi'n cytuno â'i neges?
3. Pa eiriau / llinellau sy'n aros yn eich cof? Pam?
4. Ydy'r gerdd yn berthnasol heddiw? Pam?

'Fe ellir achub y Gymraeg'

'Fe ellir achub y Gymraeg'. Dyna oedd neges herfeiddiol Saunders Lewis yn ei ddarlith radio *Tynged yr Iaith* ar 13 Chwefror. Archeoleg, diwinyddiaeth a barddoniaeth oedd y math o bynciau arferol a geid yn narlith flynyddol y *BBC* yng Nghymru, ond her a galwad i faes y gad oedd gan Saunders Lewis pan gafodd ei ddewis i draddodi eleni. Gwneud gwaith y llywodraeth ganolog a'r awdurdodau lleol yn gwbl amhosibl heb y Gymraeg oedd y nod i anelu ato, a gwneud hynny trwy ymgyrch barhaol o dor-cyfraith drefnedig. Rhaid oedd gwrthod llenwi ffurflenni a thalu trethi a thrwyddedau oni ellid gwneud hynny yn Gymraeg, hyd yn oed os byddai hynny'n arwain at ddirwyon a charchar i rai. 'Nid dim llai na chwyldro yw adfer yr iaith Gymraeg yng Nghymru. Trwy ddulliau chwyldro yn unig y mae llwyddo,' meddai.

Saunders Lewis

Un canlyniad amlwg a buan i'r ddarlith oedd sefydlu Cymdeithas yr Iaith Gymraeg ar 4 Awst yn ystod ysgol haf Plaid Cymru ym Mhontarddulais. Aelodau o Blaid Cymru oedd sylfaenwyr y mudiad newydd, a hwythau wedi diflasu ar dactegau Seneddol y Blaid ac am fynd ati'n fwy uniongyrchol i frwydro dros yr iaith Gymraeg. Roedd hyn yn arbennig o wir ar ôl i'r holl bwyso dyfal, llythyru, a phrotestio heddychlon fethu â chadw pentref Capel Celyn rhag cael ei foddi er mwyn darparu dŵr i Lerpwl. Roedd aelodau'r Gymdeithas newydd yn barod i dorri'r gyfraith er mwyn yr achos, agwedd a achosodd gryn benbleth i nifer o aelodau selog Plaid Cymru a fu'n glynu'n ffyddlon wrth ddulliau cyfreithlon. Yng nghynhadledd flynyddol y Blaid, pleidleisiodd mwyafrif mawr yn erbyn mabwysiadu polisi o weithredu uniongyrchol, a phwysleisiwyd mai gweithredu fel unigolyn, heb sêl bendith y Blaid, y byddai unrhyw un a âi ati i dorri'r gyfraith.

Bu cryn ddadlau ynglŷn â pha enw y dylid ei roi ar y mudiad newydd a ddisgrifiwyd gan y *Welsh Nation*, papur Saesneg Plaid Cymru, fel '*a band of determined militants*'. Nid oedd y teitl parchus 'Cymdeithas' at ddant pawb a ffafriai rai'r enw 'Cyfamodwyr'. Ond Cymdeithas yr Iaith Gymraeg oedd hi yn y diwedd, enw a dalfyrrwyd ar lafar wedyn i 'y Gymdeithas' wrth i'r grŵp a'i weithredoedd ddod yn fwyfwy adnabyddus.

Fel y dywedodd Saunders Lewis yn ei ddarlith, yr oedd yn traethu cyn cael cyfle i weld canlyniadau Cyfrifiad 1961, ond gwir y rhagdybiodd ef y byddai'r canlyniadau hynny 'yn sioc a siom i'r rheini ohonom sy'n ystyried nad Cymru fydd Cymru heb Gymraeg'. Dangosodd yr ystadegau pan gyhoeddwyd hwy fod nifer y siaradwyr Cymraeg wedi disgyn yn sylweddol o 715,000 yn 1951 i 656,000 yn 1961. *[LLIW 17]*

BLAS CAS

Roedd y tri wedi cyrraedd Commercial Road. Teimlai Dafydd ychydig yn chwithig wrth feddwl y byddai'n torri'r gyfraith yn fwriadol. Pregeth fawr Ffion oedd amddiffyn hawliau a sefyll dros egwyddorion. Doedd e, Dafydd, ddim wedi meddwl rhyw lawer am ei egwyddorion cyn dechrau ymwneud â Ffion. Mynd gyda'r llif. Dilyn ei ddiddordebau oedd ei bolisi ef. Ond roedd Ffion, gyda'i hiwmor a'i hegni, ei hyfdra a'i hwyl dros y misoedd diwethaf, wedi'i ddeffro, ac wedi peri iddo ddechrau meddwl am bethau eraill heblaw am rygbi a sut oedd cael dêt gydag Angharad.

Yn awr, wrth gerdded heibio i gerflun W. H. Davies, atseiniai geiriau Ffion unwaith eto yng nghlustiau'r ddau weithredwr.

Edrychodd y tri o'u cwmpas. Roedd y stryd bron yn wag. Dim ond un cwpwl yn cerdded braich ym mraich, a phedair merch oedd yn amlwg mewn brys i gyrraedd tafarn yn ôl eu gwisg, oedd i'w gweld. Yn ôl eu sŵn roedd y merched eisoes wedi bod yn yfed ac mewn hwyliau da. Ladettes, meddyliodd Dafydd.

'Dyma ni,' cyhoeddodd Ffion, a stopio o flaen y siop goffi.

'Pam hon?' holodd Dafydd.

'Achos maen nhw'n gwrthod gweithredu polisi Cymraeg. Dim arwyddion dwyieithog. "No Welsh – only English" oedd y geiriau dydd Sadwrn diwethaf, a hynny'n reit surbwch,' esboniodd Angharad.

'Man a man 'se ni yn Lloegr. Edrycha ar y siopau yma o'n cwmpas ni – Gap, Next ac Ethel Austin. Pasia'r poster 'ma!' gorchmynnodd Ffion.

'Byddan nhw'n siŵr o'n gweld ni!' meddai Dafydd gan gyfeirio at y merched meddw.

''Sdim ots!' cyhoeddodd Ffion. Ond yn dawel bach, teimlai Dafydd y dylid ceisio osgoi trafferth yn hytrach na'i groesawu.

'Ond gallen nhw alw'r heddlu.'

'Y bwriad yw cael yr awdurdodau i'n gwarchod ni a gwarchod ein hiaith, nid ein cosbi ni.'

Wrth i Dafydd estyn y poster iddi o'r bag, sylwodd fod ei galon yn rasio, yn curo, a chrynai ei ddwylo rhywfaint. Sylweddolodd ei fod yn gweithredu. Lledodd ton o egni drwy'i gorff. Teimlai'n braf, yn hynod aeddfed. Roedd yn torri'r gyfraith a hynny'n fwriadol! Roedd e'n rebel!

Roedd Angharad eisoes wrthi'n gwlychu'r brws â glud gwyn ac yn ei daenu ar hyd y ffenest fawr.

'Bydd hwn yn rhywbeth iddyn nhw feddwl amdano,' sibrydodd Angharad.

'Hei, dim bilbord yw'r ffenest 'na!' gwaeddodd un o'r pedair merch meddw yn Saesneg wrth iddynt gerdded heibio.

'Be chi'n 'neud? Hysbysebu rêf?' holodd un arall.

'Nage,' atebodd Angharad yn dawel, hyderus. 'Hysbysebu'r iaith Gymraeg, a'r trais mae hi'n ei ddioddef.'

Edrychodd y ladettes ar ei gilydd gan graffu ar y poster.

'O'n i'n casáu Cymraeg yn yr ysgol ond bydden i wrth fy modd 'se ni'n gallu ei siarad hi nawr.'

'Beth yw'r pwynt? 'Sneb yn ei deall hi. Mae hi 'di marw,' cyfarthodd yr un dew yn ôl.

'Felly beth ydych chi'n mynd i wneud i'w hachub hi?' holodd Ffion. 'Mae pawb yn barod i helpu'r gorila a'r panda a rhyw blanhigion prin . . .'

Llamodd y ferch benfelen ymlaen gan dorri ar draws eiriau Ffion a phwyntio'i bys at y poster.

'Gorchuddiwch y ffenest i gyd!' meddai fel pregethwr.

'Es i i ysgol Cymraeg,' medde'r ferch leiaf yn eu plith. 'Dim wedi siarad gair ers gadael. Gwd sgŵl, mind. Gwd laff hefyd.'

Cerddodd y pedair i lawr y stryd fraich ym mraich, yn llafarganu'r ychydig eiriau Cymraeg oedd wedi dod yn ôl i'r cof :

'Cacha bant, cacha bant . . .'

Cymharwch y ddau ddarn

- '1962'
- 'Blas Cas' (*sydd wedi ei gosod yn y presennol*)

Beth mae'r ddau ddarn yn ei ddweud wrthoch chi am y newid a fu mewn cymdeithas rhwng y ddau gyfnod hyn?

Er y newidiadau, oes rhai pethau'n aros yr un fath? Beth?

TASG

Ydych chi'n gweld anghyfiawnder o safbwynt yr iaith Gymraeg yn eich ardal chi?

Beth?

A fyddech chi'n gwneud unrhyw beth mewn sefyllfa fel hon?

Os felly, beth?

TASG

Yn 2007, bu llawer iawn o sylw yn y wasg i'r ffaith bod un cwmni mawr wedi rhwystro eu gweithwyr rhag siarad Cymraeg ymhlith ei gilydd. Dadl y siop oedd bod hyn yn anodd i'r cwsmeriaid a fyddai'n dod i'r siop.
Dadl y gweithwyr oedd eu bod yn siarad Saesneg â'r cwsmeriaid nad oedd yn medru'r Gymraeg.

Yn y diwedd, cafodd y gweithwyr a oedd yn siarad Cymraeg ymhlith ei gilydd eu diswyddo.

Beth yw'ch barn chi am hyn?

Ysgrifennwch lythyr ffurfiol at eich papur newydd lleol yn mynegi barn ar yr achos hwn.

TRYWERYN

Dyma ran o wefan 'Ymgyrchu' Llyfrgell Genedlaethol Cymru.

Ym 1965 boddwyd pentref Capel Celyn a Chwm Tryweryn, Y Bala, Meirionnydd er mwyn cyflenwi dŵr i ddinas Lerpwl. Boddwyd 800 erw o dir, a hefyd yr ysgol, y llythyrdy, y capel a'r fynwent er mwyn creu cronfa ddŵr Llyn Celyn.

Boddwyd deuddeg fferm ac effeithiwyd ar diroedd pedair fferm arall.

Rhestr o'r ffermydd a effeithiwyd gan y cynllun ynghyd â'r preswylwyr a nifer yr aceri:

1	Tyucha a Thyddyn Bychan	03	D. Jones
2	Hafod Fadog	07	D. Jones
3	Garnedd Lwyd, rhan o Goed-y-Mynach	45	J. W. Evans
4	Caefadog a Choedymynach	52.5	D. Roberts
5	Gelli Uchaf	51.5	Gth Evans
6	Gwerndelwau	46	J. Rowlands
7	Hafodwen	08.5	J.A. Jones
8	Tŷ Nant	02	R.E. Jones
9	Craigyronw, Weirglodd Ddu, Moelfryn a Chaerwernog	80.5	M. Roberts
10	Maesydail	85	I. Jones
11	Bochyrhaeadr	44.5	W. H. Pugh
12	Brynifan	10.5	J. M. Jones
13	Gwerngenau	68	C. O. Jones
14	Penbryn Mawr a Thynybont	79	J. J. Edwards
15	Penbryn Bach a Dolfawr	65	I Parry
16	Tyncerrig	42	I Roberts
	Cyfanswm yr aceri =	770	

Pasiwyd Mesur Boddi Cwm Tryweryn gan y Senedd ar 1 Awst 1957. Mesur preifat ydoedd a noddwyd gan gyngor Dinas Lerpwl ac a basiwyd gan lywodraeth Geidwadol Harold Macmillan a'i Weinidog dros Faterion Cymreig, Henry Brooke. Roedd y mesur yn caniatáu pwrcas gorfodol o'r tir ar gyfer creu cronfa ddŵr.

Gwrthwynebwyd y cynllun gan y rhan fwyaf o Aelodau Seneddol Cymru, ond nid oedd ganddynt rym i rwystro'r datblygiad gan fod y llywodraeth am wthio'r mesur drwy'r Senedd. Nid oedd gan awdurdodau lleol chwaith lais yn y penderfyniad ac fe wnaeth hyn beri anfodlonrwydd mawr. Roedd y pleidiau gwleidyddol yng Nghymru yn unol mewn gwrthwynebiad i'r cynllun, oherwydd fe'i gwelwyd fel sarhad ar Gymru am fod ei hadnoddau gwerthfawr yn cael eu dwyn oddi arni.

Roedd gwerth amaethyddol y tir yn uchel o'i gymharu â darnau eraill o dir y gellid bod wedi eu hystyried, a theimlwyd nad oedd cynlluniau posibl eraill wedi eu trafod yn ddigonol. Hefyd roedd teimlad o dristwch am fod cymuned yn cael ei chwalu a theuluoedd a wreiddiwyd yn yr ardal ers cenedlaethau yn cael eu gorfodi i adael eu cartrefi.

Roedd y trigolion lleol yn gadarn yn eu penderfyniad i wrthwynebu i'r pen draw a bu gwrthdystio a deisebu. Ym 1956 ffurfiwyd Pwyllgor Amddiffyn Tryweryn a oedd yn cynnwys rhai o hoelion wyth Cymru megis Ifan ab Owen Edwards, Megan Lloyd George, T. I. Ellis, a'r Arglwydd Ogmore. Ffurfiwyd nifer o ganghennau eraill hefyd megis Pwyllgor Amddiffyn Capel Celyn a phwyllgor Amddiffyn Tryweryn yn Lerpwl.

Nid oddi wrth genedlaetholwyr yn unig y deuai gwrthwynebiad, ond bu achos Tryweryn yn ysgogiad o bwys i Blaid Cymru ac yn sbardun i ymgyrchu. Ym mis Medi 1956 cynhaliwyd Rali 'Cadw Tryweryn' gan Blaid Cymru pan orymdeithiwyd i lawr stryd fawr y Bala.

Ym mis Hydref 1956 galwyd cyfarfod i achub Tryweryn yng Nghaerdydd gan Faer y ddinas, yr Henadur J H Morgan, lle roedd dros 300 o gynrychiolwyr awdurdodau lleol, undebau llafur, a deg AS yn bresennol. Penodwyd yr Henadur Huw T Edwards yn gadeirydd a phenderfynwyd danfon dirprwyaeth o'r gynhadledd i gwrdd ag aelodau Corfforaeth Lerpwl i apelio arnynt i newid eu meddyliau. Y rhai a ddanfonwyd oedd Mr D R Grenfell AS, Arglwydd Faer Caerdydd, Huw T Edwards, y Cynghorydd Emrys Owen a Dr R Robinson.

Ym mis Tachwedd 1956 cafwyd gorymdaith yn Lerpwl, gyda Gwynfor Evans yn arwain 70 o bentrefwyr er mwyn dangos eu gwrthwynebiad i'r cynllun, ond pleidleisiodd cynghorwyr Lerpwl i barhau â'r cynllun. Cynigiodd Gwynfor Evans yn Awst 1957 bod Cyngor Sir Feirionnydd yn creu cronfa yng Nghwm Croes, lle roedd un fferm yn unig, ac wedyn yn gwerthu'r dŵr i Lerpwl.

Ar dri achlysur rhwng 1962 a 1963 cyflawnwyd difrod yng Nghwm Tryweryn. Ar 10 Chwefror 1963 fe ffrwydrwyd trosglwyddydd a oedd yn y gronfa, ac Emyr Llewelyn Jones, myfyriwr yn Aberystwyth a gosbwyd am y weithred. Fe'i dedfrydwyd i garchar am ddeuddeg mis. Pan gafodd ei ddedfrydu aeth Owain Williams a John Albert Jones, a oedd yn aelodau o Fudiad Amddiffyn Cymru, i chwythu peilon trydan yn Gellilydan.

Er gwaetha'r gwrthwynebiad cyhoeddus aeth y cynllun yn ei flaen ac fe agorwyd Llyn Celyn fel cronfa ddŵr yn swyddogol ar 28 Hydref 1965. Rhaid oedd adeiladu heolydd newydd gan fod yr heol o Bala i Ffestiniog yn cael ei boddi, a chost y prosiect oedd £20 miliwn. Roedd llyn Celyn yn dal 71,200 megalitr o ddŵr, yr argae mwyaf yng Nghymru. Ceir cofeb wrth ymyl y llyn a gerddi coffa, a symudwyd hen gerrig beddi Capel Celyn yno.

Cynhaliwyd protest yn ystod y seremoni agoriadol swyddogol lle roedd Arglwydd Faer Lerpwl yn bresennol. Yn bresennol hefyd mewn lifrau milwrol yr oedd Byddin Rhyddid Cymru. Dechreuwyd ymgyrch recriwtio gan 'Fyddin Rhyddid Cymru' ym 1963, ond protest Tryweryn oedd yr achlysur cyntaf iddynt ymddangos ynddo yn gwrthdystio. Rhyddhawyd lluniau o'r aelodau yn ymarfer gydag arfau yn ddiweddarach ond nid oedd tystiolaeth eu bod yn gweithredu'n dreisiol. Ym 1969 arestiwyd yr arweinwyr a dedfrydwyd chwech ohonynt, gan gynnwys yr arweinydd Julian Cayo Evans, i bymtheg mis o garchar.

PORTH Y BYDDAR

Detholiad o ddrama 'Porth y Byddar' gan Manon Eames.

ACT 1 - GOLYGFA 3

CYFYD Y GOLEUADAU AR Y LLWYFAN GYDA NAWS WAHANOL WRTH I DAFYDD ROBERTS OSOD YSGOL AR GANOL Y LLWYFAN, A, GYDA FFEDOG BROWN "GROSER" AMDANO A PHOT PAENT YN EI LAW, DRINGO I DOP YR YSTOL I DDECHRAU "PEINTIO", FEL MAE LISABETH WATCYN (MERCH 1) YN CYRRAEDD.

Sut mae'r dramodydd yn creu naws ar gychwyn yr olygfa hon?

LISABETH WATCYN (MERCH 1): 'Dech chi'n diolch am ddiwrnod sych dwi'n cymyd Dafydd Robets?

DAFYDD ROBERTS: (YN EI GWELD) Lisabeth!

LISABETH WATCYN : Does gennych chi'm digon i neud deudwch, heb orfod peintio'r Llythyrdy hefyd ...?

DAFYDD ROBERTS: O twt – ddyliwn i 'di gwneud hyn misoedd yn ôl ... Ym - o'ddech chi' isio rhywbeth...?

LISABETH WATCYN: Na na – galw oeddwn i i ofyn... Ydech chi 'di clywed y ... "si" diweddara ?

DAFYDD ROBERTS: Dim gair...(YN SYLWEDDOLI EI BOD HI'N ANESMWYTH, A DECHRAU DOD LAWR YR YSTOL) Lisabeth ? Oes yne rhywbeth yn bod ... ?

LISABETH WATCYN: Wel ... oes ... hynny ydi ...

AR HYN MAE PC WILLIAMS YN YMUNO, MAE GANDDO BAPUR NEWYDD DAN EI GESAIL

PC WILLIAMS: Dafydd – Lisabeth ...

DAFYDD ROBERTS: Williams ...

PC WILLIAMS: Peintio ie?

DAFYDD ROBERTS: O – rhyw dwtio 'ipyn bach ... ydech chi'n iawn Williams?

PC WILLIAMS: Nachdw. Newydd bigo'r papur newydd fyny'n Bala ...

MAE'N DANGOS Y DUDALEN FLAEN IDDO

DAFYDD ROBERTS: (YN DARLLEN) Cynllun boddi Capel Celyn ...

DYN 2: "Y Seren, dydd Gwener, Rhagfyr 23ain 1955"

DAFYDD ROBERTS: Ddydd Mawrth, hysbyswyd bod Corfforaeth Dinesig Lerpwl am gyflwyno mesur gerbron y Senedd gyda'r bwriad o foddi rhan o ddyffryn y Tryweryn ...

Sut fyddech chi'n llwyfannu'r darn hwn?

Pa dechnegau cynhyrchu allech chi eu defnyddio?

PC WILLIAMS: Y mae'r cynllun i foddi Dolanog wedi ei roi o'r neilltu, ond eir ymlaen gyda'r cynllun i grynhoi mil ar bymtheg o filynnau o alwynni o ddŵr mewn llyn helaeth, dros 800 o aceri, bedair milltir o'r Bala. Cwm Celyn.

ELISABETH 1: Bydd ardal Capel Celyn bron yn gyfangwbl dan y dŵr ... Mae o'n *Daily Post* hefyd.

DAFYDD ROBERTS: (YN PLYGU'R PAPUR NEWYDD A'I ROI NÔL I PC WILLIAMS) Wel. Chan nhw ddim.

'MAE'R TRI'N MYND

DYN 1: Mil ar bymtheg o filiynnau o alwynni o ddŵr.

DYN 2: Sy'n golygu – codi wal, anferthol, yn safn y cwm –

DYN 1: Wal? Llen, anferthol, o goncrit ...

DYN 2: Yn cau ceg Cwm Celyn am byth.

DYN 1: A thu ôl i'r argae? Dymchwel popeth.

DYN 2: Y ffordd.

DYN 1: A'r rheilffordd.

DYN 2: Popeth.

DYN 1: Cyn gorchuddio llawr y cwm hefo blanced drwchus o sment ...

DYN 2: A boddi'r lot.

DYN 1: Boddi'r cwbwl lot. Am byth.

MAE'R DDAU'N EDRYCH AR EI GILYDD, CYN CILIO. CROES-DORRI I.

GOLYGFA 6

... DYN 2: Rhywle yn nes at adre, mae pobl y Bala, cymdogion agos i Gwm Celyn, hefyd yn trafod y mater ...

DYN 3: (EFO PEINT YN EI LAW?) Bydd o'n dod â lot o waith cofia ...

DYN 4: (PEINT YN EI LAW YNTAU?) Lot o bres hefyd ...

DYN 3: A bydd yn onest – twll 'di Cwm Celyn ynde? Fyset ti'n byw yno?

DYN 4: Rargol, na'fswn ... Iechyd !

DAFYDD AC ELISABETH GYDA'I GILYDD - DAFYDD YN DDIGALON ...

DAFYDD ROBERTS: Iawn – mi fydd masnachwyr y dre ar eu hennill – am gyfnod ... ond feddylies i 'rioed y bydde rhaid perswadio pobol mor agos aton ni ...

Mae Dafydd Roberts ac Elisabeth Watcyn bellach yn aelodau o Bwyllgor Amddiffyn Tryweryn.

ELISABETH: (YN OFALUS) Mae 'ne ... sibrydion mysg pobl Celyn hefyd cofiwch.

DAFYDD ROBERTS: Ofn ydi hynny Elisabeth – nace? Neu - w'rach fod yne rai yn fan hyn sydd hefyd yn gobeithio elwa?

ELISABETH: ... tŷ newydd – efo trydan ...? Pres yn y boced ... Wn i'm.
Hwrach y dylie ni'm 'di disgwyl i bobl heddychlon – breuddwydiol hyd yn oed – neidio i'r tresi a chwifio baneri ar y cyfle cynta. Den ni ddim yn ddigon o sgolars Dafydd Robets. Rhy ara deg hwyrach, i wbod sut i ddelio 'fo busnes, a gorthrwm pobl Lerpwl ...

DAFYDD ROBERTS: Wel mi liciwn i'n fawr tase rheiny'n rhoi'r gore i'r lol foesol yne maen nhw'n ei baldaruo am eu tlodion yn pydru mewn slymie ac yn aros am Waredigaeth ... ar ffurf *bathrooms* a dŵr Cymru !!!

MAE O'N DECHRAU GADAEL

DAFYDD ROBERTS: A dydw i, yn un, ddim am ddechre gadael i'r lle yma fynd i'r gwellt, waeth be dduddith pobol Bala – ma 'ne gwpl o lechi yn rhydd ar do y festri, a maen nhw'n gaddo glaw ...

MAE'N MYND GAN ADAEL ELISABETH ...

ELISABETH: (YN EDRYCH TUA'R NEN) Eto.....

ACT 2 - GOLYGFA 2

DAFYDD ROBERTS: Dwn i ddim sut i ddisgrifio'r lle i chi bellach.
Mae hi fel tase rhwyg wedi agor yn ystlys y cwm, a'r bywyd yn diferru'n ara deg o'r clwy fel rhyw waedlif angheuol mae'n amhosib i'w atal. A 'dech chi'n gwbod un o'r pethe gwaethaf? Ma'r bechgyn ma'n chwythu'n cartrefi fyny, neu'n bwldozio nhw i'r llawr, heb unrhyw barch, ychi? Ma' hi bron iawn fel dipyn o hwyl, rhyw fath o sbort iddyn nhw. Llwyth o *explosive* yn y walie, a'u chwythu i ebargofiant wedyn ...

GOLYGFA 7

MORFUDD: Ma' Taid a Nain 'di gadal Gwerndelwe.
SIÂN: (YN DAWEL – "DWI'N GWELD") O.

Dwy ferch ifanc o Gapel Celyn ydy Siân a Morfudd.

MORFUDD: Gaeso nhw lythyr. O'n i fyny'n ca'l te pnawn Sadwrn hefo nhw. Fel bob Sadwrn ... Ti'n gwbod, ma' gen Taid y dwylo mwya i mi weld erioed wsti? Ma' nhw fel dwy raw. (SIÂN YN CHWERTHIN YN YSGAFN) A ma' Nain mor fach.

SIÂN: (YN GWENU) Fel doli ... yndi ...

MORFUDD: Ma' hi'n torri bara menyn yn dene dene dene ... Mae o fel lês y llian bwrdd Sadwrn. Os wt ti'n 'i ddal o i fyny at y ffenest, ti'n gallu gweld syth drwyddo fo ... (MAE HI'N SMALIO GWNEUD - YNA) A ... drw'r ffenest, o'n i'n gallu gweld Taid. "Paid a chware hefo dy fwyd rwan" medde Nain. Ond o'n i'n edrych ar Taid.
O'dd o'n istedd ar y buarth. 'Im yn symud. "Witchiad" medde Nain ...

SIÂN: Oedd o'n iawn, oedd?
MORFUDD: (YN CODI SGWYDDA, YNA) Ddudodd Nain – fel o'dd o 'di ymladd dros 'i wlad, dros y Brenin a'r Frenhines ... adeg y rhyfel. Yn R'Aifft. Gafodd o fedal. Dad

'di deud. A pan ddo'th o a'r lleill yn ôl wedyn. Oedd ene barti mawr. Yn y Bala. A, medde Nain, ddaru nhw "addo" lot iddyn nhw ...

SIÂN: Pwy? Y Cwin ie?

MORFUDD: Gwaith, pres, heddwch – a rhyddid, medde Nain.
Wedyn, mae o'n mynd o dan groen Taid, yn ofnadwy, medde hi, mai dyma'r diolch mae o'n i ga'l rwan, wel 'di ?

SIÂN: Ca'l 'i orfodi i godi pac a'i hel hi o' ma.

MORFUDD: Yn 'i oedran o hefyd.

SAIB : MAE SIÂN YN ASTUDIO MORFUDD AM EILIAD. MAE HI'N GALLU GWELD EI BOD HI'N AGOS AT DDAGRAU.

MORFUDD: Odden ni yn y gegin, a glywon ni'r sŵn. O'dd *bulldozer* wedi stopio wrth y llidiart. Ac mi oedd Taid yn sefyll o'i flaen o. Yn gwrthod symud.
Ar ol dipyn ddoth y boi o'dd yn dreifio'r *bulldozer* allan o'r cab bach. Darn o bapur yn 'i law. A'i roi o i Taid.
Dyma fo a Taid yn siarad am dipyn. Cymro o'dd o, medde Nain.
'Steddson nhw ar y wal gerrig, a rhannu smôc. O'dd dylo mawr Taid yn crynu. A wedyn a'th y dyn yn ôl i'r *bulldozer*.
A wedyn, dyma fo'n gyrru'i *bulldozer* mewn i wal y beudy, tra o'dd Taid yn iste ar wal ar y buarth, efo'i ben yn ei ddylo mawr. O'dd o'n crio.

SIÂN: (YN DAWEL IAWN) Lle aeson nhw? Bala?

MORFUDD: (YSGWYD EI PHEN) Ma' nhw 'di ca'l tŷ bach newydd, yn Fron Goch.
SIÂN: O.

MORFUDD: Ond dydi Taid 'im 'di deud gair ers iddyn nhw

fynd yno, medde Nain.
Es i ga'l te dydd Sadwrn hefo nhw. Fel bob Sadwrn, wsti.
O'dd y llian bwr' r'un peth. A'r bara menyn. Ond o'dd popeth arall yn ... yn "Wahanol" i Gwerndelwe. O'dd dylo Taid yn edrych yn llipa. O'dd Nain yn edrych yn llai fyth ...

GOLYGFA 16

SIÂN: Ar ddiwrnod ola' gwersi, o'dd Miss Rees wedi cadw pob peth yn daclus yn y cypyrdde', a llnau'r bwr' du, fel arfer, a ddaru pawb roi'u llyfre yn 'u desgie, a chodi'u cadeirie am eu penne nhw, a deud pader, fel arfer.
N'union fel tasen ni'n mynd yn ôl.
Ond doedd neb am fynd nol.
Ar ddiwedd y gwasaneth, roson nhw Destamente i bob un o'non ni'r plant, fel anrheg. A wedyn a'th y bobol i gyd adre. Ond arhoson ni'r plant – aeson ni i iste uwch ben y cob, i wylio be fydde'n digwydd ...
Daeth y dynion efo'i bwldosers, a chwalu'r ysgol.
Ddaru o'm cymyd lot o amser nes o'dd o'n fflat.
(SAIB) Capel sy' nesa.

Mae'r ddwy hefyd yn ddisgyblion yn ysgol Capel Celyn.

GOLYGFA 26

DYN 1: Ac wrth gwrs, gan y bydd hanner cant o heddweision yn bresennol y tu allan i'r babell enfawr ... mi fydd yn rhaid i Brif Gwnstabl Gwynedd fod yno hefyd ... ond y tu fewn i'r babell, ynde. Yn unol â'i statws. Yn mwynhau'r *Strawberry Flan*.

DYN 6: (YN PWYSO A MESUR) Cofiwch, ma' ganddyn nhw le i ddathlu.
... Y LLEILL YN EDRYCH ARNO'N SYN

DYN 6: Yn ôl ffigurau Plaid Cymru, mae Corfforaeth Lerpwl yn debygol o wneud elw o dri-chwarter-miliwn o bunnoedd y flwyddyn, o ddŵr Tryweryn yn unig ...

MERCH 4: Tri chwarter miliwn? O Dryweryn?

Erbyn hyn mae Capel Celyn wedi'i foddi'n llwyr. Mae Cyngor Dinas Lerwpl yn trefnu agoriad swyddogol i ddathlu.

DYN 6: Tri chwarter miliwn. O Dryweryn.

MERCH 4: S'dim rhyfadd eu bo' nhw isio parti!

MERCH 5: (I MERCH 4) I'r gad?

MERCH 4: (YN YSGWYD EI LLAW YN GYMODLON) I'r gad!

Y MERCHED YN MYND GAN ADAEL DYN 6 A DAFYDD ROBERTS, SYDD WEDI TYSTIO HYN, YN GADAEL ...

GOLYGFA 30

... DYN 6: Gwrthododd Dafydd Roberts wahoddiad Lerpwl. Ac wedi gwneud hynny, deg diwrnod cyn y syrcas fawr, bu farw. Fel yna.
Dafydd Roberts: ffarmwr, postmon, a chynghorydd – trysorydd a blaenor Capel Celyn ... Cadeirydd y Pwyllgor Amddiffyn. Wedi gweld digon. Llond bol go iawn. Yn 73 mlwydd oed ac yn methu diodde byw i weld y jambori ffiaidd, a phobol ddwad yn dathlu a chiniawa ar dir 'i gyndeidiau. Tynnu'i draed ato, a marw. Ffidil yn y to. Fe'i claddwyd, wrth ochr Elisabeth Watkin Jones, ym mynwent Llanycil. Chafoddd r'un o'r ddau ohonyn nhw fynd adre – hyd yn oed yn y diwedd un.

DYN 6: Yn Nhryweryn cychwynodd y daith a arweiniodd o'r diwedd at Lywodraeth Cynulliad Cymru ... yn Nhryweryn gosodwyd carreg filltir yn nhwf ein deffroad cenedlaethol.

MERCH 1: Carreg filltir, neu garreg fedd?

DYN 1: Ar y pedwerydd ar bymtheg o Hydref, 2005, yn ymateb i'r nyth cacwn a gododd yn sgil ei chynnig i gynnal Eisteddfod Genedlaethol 2007 yn y ddinas, fe ymddiheurodd Dinas Lerpwl.

Mae'r darn hwn yn cyfeirio at y presennol.

MERCH 4: We realise the hurt of forty years ago, when the Tryweryn valley was transformed into a reservoir to meet the water needs of Liverpool. For any insensitivity by our predecessor council at that time, we apologise, and hope that the historic and sound relationship between Liverpool and Wales can be completely restored.

DYN 1: Ydi'r frwydr ar ben felly?

DYN 7: Gwrandwch ... Mae hi'n dawel iawn yng Nghwm Celyn heno ...

TASG

I ba raddau y mae'r ddrama neu'r tudalennau gwefan yn llwyddo i gyfleu orau hanes boddi Capel Celyn?

Pam ydych chi'n credu hyn?

Edrychwch ar y llun hwn.

TASG

Rydych chi'n ohebydd papur newydd i'r *Western Mail* yn Lerpwl y diwrnod hwnnw.

Sut byddech chi'n cyfleu'r brotest hon i'ch darllenwyr 'nôl yng Nghymru?

Pa wybodaeth fyddai ei hangen arnoch chi?

- Gwybodaeth gefndirol;
- creu naws ac awyrgylch y brotest;
- cyfweliadau â'r ddwy ochr.

Mae'r wal hon ar y ffordd rhwng Aberaeron ac Aberystwyth. Mae'r geiriau 'Cofiwch Dryweryn' wedi'u peintio arni ers blynyddoedd maith.

Weithiau, mae rhywun neu rywrai yn peintio dros yr ysgrifen hwn.

Erbyn y bore canlynol, mae'r slogan yn ôl yn ei le.

Pam tybed?

"Pwy fydd yma 'mhen can mlynedd . . ."

WYTHNOS YNG NGHYMRU FYDD

Ysgrifennodd Islwyn Ffowc Elis y nofel *Wythnos yng Nghymru Fydd* yn y flwyddyn 1957. Mae Ifan Powel yn teithio i'r flwyddyn 2033 drwy arbrawf amser-ofod o dan law y Doctor Heinkel. Yn y nofel, cawn ddarlun optimistaidd a phesimistaidd o'r dyfodol yng Nghymru.

Dyma ddarlun cadarnhaol o Gymru 2033:

Y ffordd o fyw

Nid oeddem mwyach yn y stafell fawr, ond mewn stafell fechan glyd. Rhyngom a'r lle y dylai gweddill y stafell fawr fod yr oedd wal niwlog, symudliw.

'Rwy'n gweld,' ebe Llywarch, 'bod ein waliau ni'n dipyn o ddirgelwch ichi. "Tai hylif" y byddwn ni'n galw'n tai. Hynny yw, fe allwn wneud ein stafelloedd y siâp a fynnom. Nid wal yw'r wal yna sy o'ch blaen chi. Y cyfan sy wedi digwydd yw 'mod i wedi gwasgu botwm, a bod pelydrau'n codi o hic yn y llawr ac yn disgyn o hic yn y nenfwd ar gyfer ei gilydd, ac yn creu niwl synthetig cynnes. Mae'n hwylus dros ben.'

Pwysodd Llywarch fotwm ar y mur, a diflannodd y wal niwl. Yr oeddem unwaith eto yn y stafell fawr, ac yn un o'i halcofau eraill yr oedd bwrdd wedi'i osod ar gyfer pedwar. Pwy oedd y pedwerydd, tybed? meddwn wrthyf fy hun. Wedi inni eistedd wrth y bwrdd, caeodd wal niwl arall o'n cwmpas, ac yr oeddem eto mewn stafell fach glyd ....

'O b'le'r ydach chi'n cael coffi y dyddia' yma?' meddwn i. 'O Brasil o hyd, debyg?'

'O Ddyffryn Tywi y daeth hwn,' ebe Llywarch.

Llyncais ddiferyn rhy gynnes, a phesychu. Yr oeddwn yn meddwl bod Llywarch naill ai'n tynnu fy nghoes neu ynte'n siarad drwy'i het, ond doedd gen i mo'r gwroldeb i ddweud hynny wrtho. Aeth Llywarch rhagddo i egluro:

'Mae amryw o ffermwyr Cymru wedi darganfod nad

Sut fyddech chi'n dychmygu adeiladau a chartrefi Cymru erbyn 2033?

yw hi ddim mwy o gamp tyfu coffi a choco ac orenau a bananas nag oedd tyfu tomatos a grawnwin yn eich dyddiau chi. Rydyn ni'n dal i fewnforio'r pethau hynny, wrth gwrs. Ond mae hi dipyn yn rhatach mewnforio haul i dyfu'n coffi a'n sitronau'n hunain.'

Rhythais arno.

'Mewnforio haul?'

'Ie, siŵr. Mae amryw o'r gwledydd trofannol heddiw yn gwneud busnes mawr wrth gostrelu pelydrau haul – fyddai technegolion y peth ddim yn ddiddorol ichi – a'u hallforio i'r gwledydd oerach. Ac mae'r ffermwyr yng Nghymru sy â diddordeb yn y gwaith yn eu tywynnu ar eu gwinllannoedd coffi neu lemonau neu beth bynnag sy ganddyn nhw – y cwbwl, wrth gwrs, dan fetel gwydrin. Dyw'r cynnyrch Cymreig ddim cystal â'r cynnyrch sy'n tyfu dan amodau naturiol y trofannau a'r is drofannau, ond mae'n eitha da at ei gilydd.'

Yn eich barn chi, pa ddyfodol sydd yna i'r Gymraeg?

Yr Iaith Gymraeg

Yr oedd Caerdydd ar fore fel hwn yn ddinas hyfryd, a phenderfynodd Llywarch fy ngherdded i'r coleg. Y peth cyntaf a'm trawodd oedd yr enwau Cymraeg uwchben y siopau: Siôn Meirion, Dilledydd; Harri Tawe, Ffotograffydd; Bwrdd Trydan Cymru; Siop Siencyn. Dywedodd Llywarch fod enwau'r siopau a'r strydoedd i gyd yn Gymraeg, ond bod y cyfarwyddiadau yng ngorsaf y rheilffordd a'r orsaf awyr yn Gymraeg a Saesneg, yn ogystal â'r cyfarwyddiadau i draffig ac ymwelwyr.

'Oes gan bawb syrnâm Cymraeg?' meddwn i.

'Cyfenw ydych chi'n feddwl? O na, fe gewch ambell Jones a Williams a Davies o hyd. Ond mae'r mwyafrif mawr erbyn hyn yn cario enw sir neu ardal eu hynafiaid neu ryw enw Cymraeg arall ...

Cerddodd Llywarch a minnau ymlaen ar hyd y strydoedd lliwgar. Yr oedd yn amlwg i mi fod y bobol yn siriol. Gwrandewais arnynt yn siarad. Saesneg a glywn i gan y mwyafrif mawr.

'O ie,' meddai Llywarch. 'Saesneg glywch chi fwyaf yng

Nghaerdydd, ac mewn rhan helaeth o Forgannwg ac yn y rhan fwyaf o Fynwy a Maesyfed. Ond dyma ichi arbraw. Stopiwch rywun ar y stryd a holwch y ffordd i'r castell yn Gymraeg.'

Sefais o flaen dau ddyn ifanc mewn gwasgodau llachar a oedd yn dadlau'n frwd yn Saesneg, a holais hwy yn Gymraeg. Ni ddangosodd yr un o'r ddau ddim syndod. Troesant i'r Gymraeg ar eu hunion, a'm cyfarwyddo. Yr oedd eu Cymraeg yn gywir ac yn eitha llithrig, ond ei bod yn fain iawn ac arni acen Seisnig. Gwenodd y ddau arnaf a dymuno'n dda imi ar f'ymweliad â'r brifddinas, ac aethant yn eu blaenau.

'Ond pam na siaradan nhw Gymraeg â'i gilydd?' gofynnais i Llywarch

'Wel,' meddai, 'does dim deddf i orfodi pobol i siarad Cymraeg. Mae pawb yn dysgu Cymraeg yn yr ysgol, ac mae bron bob swydd yng Nghymru yn hawlio gwybod Cymraeg.

Ydych chi'n credu y bydd sefyllfa fel hon yn bosib yng Nghymru?

Trafnidiaeth

Yr oedd heolydd y ddinas yn llawn o gerbydau a yrrid gan radio, a'u gyrwyr yn eistedd ynddynt yn sgwrsio neu'n edrych o'u cwmpas.

'Dwedwch i mi,' meddwn wrth Llywarch, 'pam y mae'r cerbyda' 'ma i gyd yn gyrru mor ara? Fe fydda moduron 'y nghyfnod i yn gyrru'n enbyd o'u cymharu â'r rhain.'

'Bydden, mi wn. Ond tri deg milltir yr awr yw eitha'r cerbydau pan fydd radio'n eu gyrru. Mae'n annichon mynd yn gynt na hynny drwy strydoedd tref. Ond does dim amser yn cael ei golli drwy bentyrru traffig. Mae'r system bron yn ddi-feth. Ac yn ddiddamwain. Dair blynedd yn ôl yr anafwyd dyn ddiwethaf ar strydoedd Caerdydd'.

'Ond rydw i'n siomedig,' meddwn i. 'Roeddwn i'n disgwyl y bydda cerbyda' heddiw'n gyrru mor gyflym â goleuni.'

'A'r byd wedi'i ddifodi? Oes, Powel, mae 'ma gerbydau sy'n gyrru bedair a phum gwaith cyn gyflymed â sŵn. Ond dim ond i ddiben arbrofi. A dim ond allan i'r gwagle. Mae holl ogwydd heddiw tuag at arafu tempo bywyd. A dim ond dechrau cynefino â'r arafwch yr ydyn ni.

I ba raddau ydych chi'n cytuno â syniadau Islwyn Ffowc Elis am drafnidiaeth y dyfodol?

Dyma ddarlun mwy tywyll o'r dyfodol:

Ffordd o fyw

'Yr ydym newydd fynd dros Gwm Tawe ac yr ydym yn nesu at y Mynydd Du. Yn y fan hon y mae'r goedwig yn cychwyn, ac mae'n para nes down ymron i Aberystwyth.'

'Y goedwig?'

'Ie, siŵr. Tir y Goedwigaeth. Mae agos i ddwy filiwn o aceri o Gymru dan goed – agos i hanner arwynebedd y wlad.'

'Beth am y gweddill?'

'Gweddill Cymru? O, meysydd awyr a gwersylloedd milwrol, cronfeydd dŵr, parciau cenedlaethol, a sonau amaethyddol – rhannau isaf Dyffrynnoedd Tywi, Teifi, Dyfi, Conwy a Chlwyd yn fwyaf arbennig. Ffermydd mawr y Wladwriaeth sydd yn y dyffrynnoedd hynny. Mae'r ffermydd unigol wedi diflannu i gyd.'

... Aeth Richards â mi i'r orsaf awyr am bryd o fwyd. Yr oeddwn ar fy nghythlwng. Yr oedd digon o fwyd, ond ei fod wedi'i goginio'n wael. Nid oedd y llestri'n lân, ac yr oedd y ferch a'u gosododd o'n blaenau yn swta ac yn swrth. Ond yr oedd yn fwyd, o leiaf, a bwyteais fel ceffyl. Taniodd Richards ei getyn ar ôl gorffen, a thaflodd baced o sigarennau i mi. Buom yno sbel, yn ysmygu'n ddistaw, a theithwyr mud a theithwyr swnllyd yn gogordroi rhwng y byrddau o'n cwmpas.

Yr Iaith Gymraeg

'Rydach chi'n siarad Cymraeg yn dda iawn, os ca' i ddweud.'

'O, mi gefais afael ar hen recordiau yn rhoi gwersi mewn Cymraeg. Dyna sut y mae f'ynganiad yn weddol. Ac yr wyf yn darllen Cymraeg bob dydd. Pob llyfr Cymraeg y gallaf gael gafael arno. Wrth gwrs, ychydig o lyfrau Cymraeg sydd ar gael erbyn hyn. Mae meicroffilm o'r llyfrau pwysicaf yn Gymraeg i'w cael yn y llyfrgelloedd yn

Rhydychen a Llundain – mae'r hen Lyfrgell Genedlaethol yn Aberystwyth wedi'i throi'n westy ers blynyddoedd, wrth gwrs – ond mae'n anodd cael gafael ar lyfrau ... ydyw ...'

'Ac rydach chi'n dweud, Athro, nad oes neb sy'n fyw ond chi yn medru Cymraeg?'

'Neb hyd y gwn. Ond mae'n anodd gennyf gredu nad oes ambell hen ŵr a hen wraig yn rhywle yn cofio rhywfaint o'r iaith. Mi garwn fynd rywbryd ar daith drwy Gymru i holi.'

... Mae'r Cymry yma i gyd wedi colli'u cefndir – wedi peidio â bod yn Gymry a heb lwyddo i fod yn Saeson. A thon ar ôl ton o Saeson a chenhedloedd eraill wedi llifo i mewn atynt, nes bod y boblogaeth yma'n un gybolfa gymdeithasol ddiwreiddiau, digefndir a diamcan.

Trafnidiaeth

Rhwng y ffordd a'r goedwig rhedai ffens uchel, ac ar honno yma a thraw rybudd mewn llythrennau tanlli: Danger: Electric Fence. Safodd y bws wrth bolyn i godi dau neu dri o deithwyr – gweithwyr coedwigaeth, a barnu wrth eu golwg – a chefais gyfle i ddarllen hysbysfwrdd mawr ar y ffens drydan:

Any person found within this forest without an official Government Permit is liable to a fine of not less than one hundred pounds or six months imprisonment or both.

Wrth basio'r tocynnwr, sylwais am y tro cyntaf fod ganddo wregys am ei ganol a pheth tebyg i bistol ynddi. Crybwyllais y peth wrth Richards wedi inni fynd yn ddigon pell.

'Oes, siŵr,' meddai Richards. 'Nid tocynnwr yw'r dyn, a dweud y gwir, ond ei fod yn rhannu tocynnau. Busguard yw'r enw swyddogol arno – math o blisman. Mae pob cerbyd cyhoeddus yn gorfod cario un, am fod cymaint o derfysgwyr yn teithio arnynt.

Ac mae'r tocynnwr yn cario pistol sy'n saethu, nid bwledi,

ond Pelydr-T. Mae chwarter eiliad o'r pelydr yn parlysu corff y terfysgwr am dair awr.'

'Ond beth petai'r tocynnwr yn cael ei drechu rywsut neu'i gilydd?'

'Mae gan y gyrrwr hefyd wn Pelydr T. Ac os bydd y tocynnwr wedi'i drechu, mae ganddo ef hawl i ddefnyddio'i ddryll.'

TASG

Cyflwyna Islwyn Ffowc Elis ddau olwg ar Gymru'r dyfodol inni.

Pa ddarlun yn eich barn chi yw'r un realistig?

- Beth sydd angen i Gymru ei wneud er mwyn gweithredu nod y darlun cyntaf o Gymru a gyflwynir inni?
- Beth yw'r peryglon o fyw yn yr ail ddarlun o Gymru a geir?

TASG

Dychmygwch mai chi yw Ifan Powel.

Ysgrifennwch erthygl i bapur newydd yn cyflwyno'r profiad a gawsoch drwy law y Doctor Heinkel.

Nod yr erthygl yw:

- darlunio'r ddau brofiad;
- rhoi cyngor i'r Cymry ar sut i osgoi'r naill Gymru neu'r llall yn y dyfodol.

LLYFRYDDIAETH

O Gwrw i Gestyll, Dafydd Meirion, Llyfrau Llais, 2005
Cerddi Abertawe a'r Cwm, (gol. Heini Gruffudd), Gomer, 2002
Melyn, Meirion MacIntyre Huws, Gwasg Carreg Gwalch, 2004
Y Jobyn Gorau yn y Byd, Garry Slaymaker, Y Lolfa, 2007
Cerddi Caerdydd, (gol. Catrin Beard), Gomer, 2004
Ffydd Gobaith Cariad, Llwyd Owen, Y Lolfa, 2006
Sna'm llonydd i ga'l (1), Margiad Roberts, Gwasg Carreg Gwalch, 2003
Cywyddau Cyhoeddus 3, (gol. Myrddin ap Dafydd), Gwasg Carreg Gwalch, 1998
Sgôr, Bethan Gwanas, Y Lolfa, 2002
Jabas, Penri Jones, Gwasg Dwyfor, 1986
Cymru yn Fy Mhen, (gol. Dafydd Morgan Lewis), Y Lolfa, 1991
Symudliw, Annes Glynn, Gwasg Gwynedd, 2004
Darnau, Dylan Iorwerth, Gwasg Gwynedd, 2005
Yn y gwaed, Geraint V. Jones, Gomer, 1990
Cywyddau Cyhoeddus 2, (gol. Myrddin ap Dafydd), Gwasg Carreg Gwalch, 1996
Cyfansoddiadau Llenyddol Buddugol Eisteddfod yr Urdd Sir Gâr 2007
I Fyd Sy Well, Sian Eirian Rees Davies, Gomer, 2005
Cerddi'r Cywilydd, Gerallt Lloyd Owen, Gwasg Gwynedd, 1972
Cerddi Llŷn ac Eifionydd, (gol. R. Arwel Jones), Gomer, 2002
Fy Hanes i – Yr Arwisgo, Sonia Edwards, Gomer, 2007
Blas Cas, Ion Thomas, Gomer, 2007